夜ふけに読みたい

雪夜のアンデルセン童話

ハンス・クリスチャン・アンデルセン 著

吉澤康子＋和爾桃子 編訳　アーサー・ラッカム 挿絵

平凡社

夜ふけに読みたい 雪夜のアンデルセン童話

目次

Nisse
（ニッセ）

Nål
（ノール）

物語を生んだ作家のふるさと

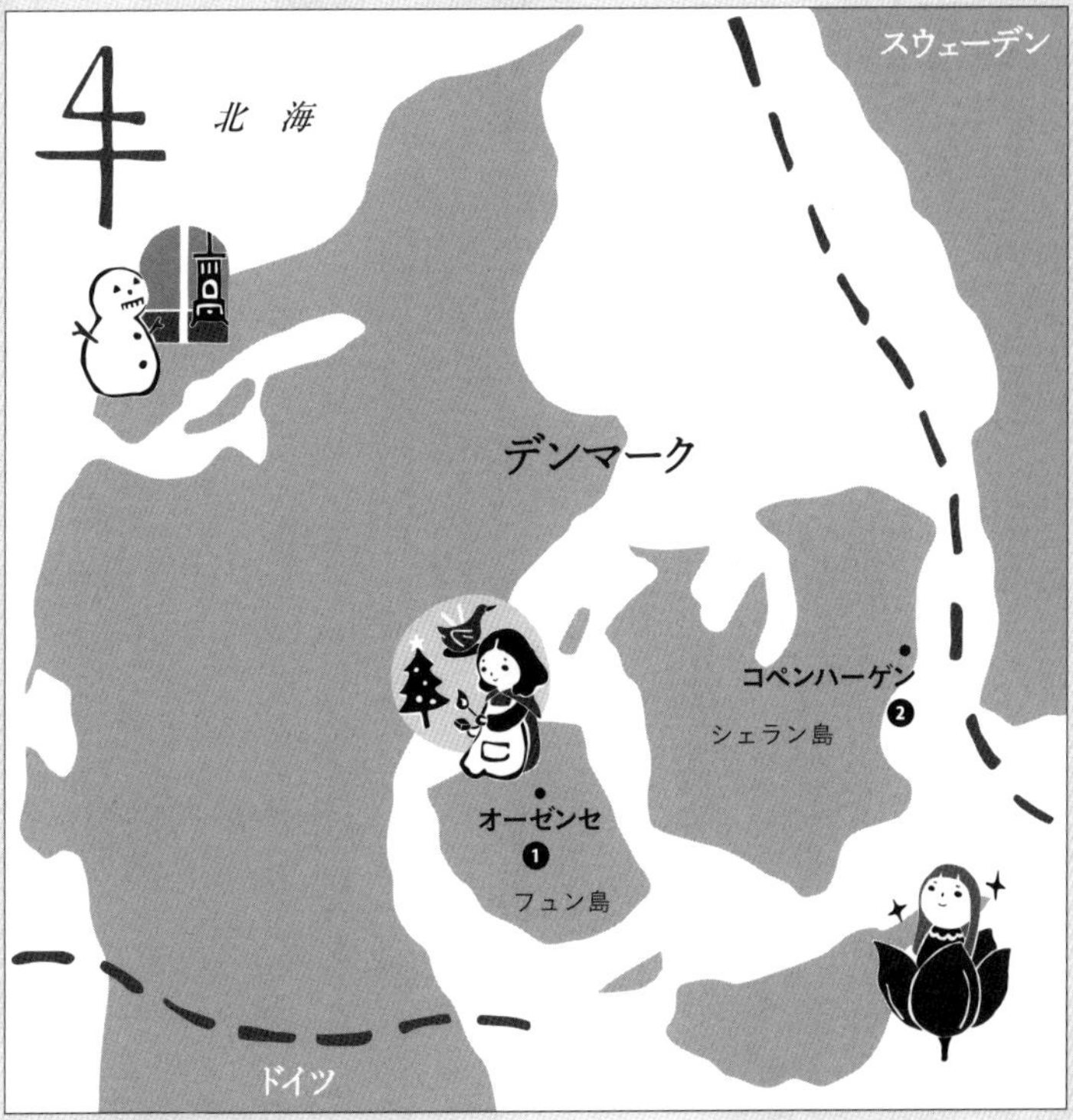

❶オーゼンセ
アンデルセンの生まれた町。「マッチ売りの少女」など、たくさんの物語は、ここでの思い出から生まれた。

❷コペンハーゲン
デンマークの首都。若《わか》き日《ひ》のアンデルセンはこの町で苦労《くろう》して学びながら、作家をめざした。やはり、たくさんの物語を生んだ場所となった。

デンマークからこんにちは

ニッセ：Hej《ハイ》（こんにちは）！　ぼくはニッセ、デンマークのコペンハーゲンに住む猫《ねこ》です。

ノール：やあ、日本のみなさん。わたしはノール、デンマークの森の猫《ねこ》だよ。

ニッセ：ノールはデンマーク語で「針《はり》」のことなんだ。ほら、びっしり生えた長い毛がツンツン立ってるでしょ、針《はり》みたいに。

ノール：森の冬はすごく寒いからね。きみの「ニッセ」はデンマークの妖精《ようせい》のことだね。

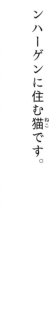

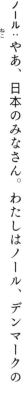

ニッセ：そう、いつもはみんなの家にいて、クリスマスになるとサンタクロースのお手伝《てつだ》いをしてプレゼントを配る妖精《ようせい》さん。そんなぼくたちで、これからデンマークのお話の二冊《さつ》セットを作ってみますね。

ノール：この本ではデンマークの秋と冬を感じるお話を主《おも》に、次の本には春と夏のお話を主《おも》に集めました。なんで「主《おも》に」かというと、同じようなお話がずっとだと飽《あ》きちゃうから、たまには変化《へんか》をつけないとね。

ニッセ：町のお話はぼくが、森や野原のお話はノールが選《えら》びました。お話を書いたのは、デンマーク生まれのアンデルセンさんという人です。

エンドウ豆の上に寝《ね》たお姫《ひめ》さま

昔々、ある王子さまがいて、お姫《ひめ》さまをお妃《きさき》に迎《むか》えたいと思いました。けれど、それは本当のお姫《ひめ》さまでなければなりません。そこで、世界中を旅して探《さが》しまわりましたが、必《かなら》ずどこか気に入らないところがありました。お姫《ひめ》さまはたくさんいるのですが、それが本当のお姫《ひめ》さまなのかどうか、よくわからないのです。いつも、なんだかしっくりしないところがあるのでした。

そこで、国へ帰ったのですが、悲しくてたまりません。なんとかして本当のお姫《ひめ》さまをお妃《きさき》にしたかったからです。

ある晩《ばん》のこと、ひどい嵐《あらし》がやってきました。雷《かみなり》がとどろき、稲妻《いなずま》が光って、土砂降《どしゃぶ》りとなりました。なんて恐《おそ》ろしいことでしょう！　すると、突然《とつぜん》、お城《しろ》の門を叩《たた》く音がしましたので、年寄《としよ》りの王さまが自分で門をあけにいきました。

門のところに立っていたのは、お姫《ひめ》さまでした。けれど、なんということでしょう！　このひどい天気のなか、雨に打たれたものですから、なんという姿《すがた》だったことでしょう！　雨水が髪《かみ》の毛《け》や服から流れ落ち、靴《くつ》の爪先《つまさき》から入って、かかとから流れ出していたのです。それでも、自分は本当のお姫《ひめ》さまだと言うのでした。

「そう、いまにわかるわ」と年老《としお》いたお妃《きさき》さまは思いました。そして、何も言わずに寝室《しんしつ》へ行くと、ベッドから布団《ふとん》をみんな取りのけ、ベッド板の上にひと粒《つぶ》のエンドウ豆を置《お》きました。そのあとで敷布団《しきぶとん》を二十枚《まい》も重ね、さらにその上にケワタガモの羽根布団《はねぶとん》を二十枚《まい》ものせたのです。

この上に、お姫《ひめ》さまは横になって、ひと晩《ばん》をすごしました。あくる朝、お姫《ひめ》さまは聞かれました。「よくお眠《ねむ》りになれましたか？」

「それが、とてもひどかったんですの！」とお姫《ひめ》さまは答えました。「ひと晩《ばん》中、目も閉《と》じられませんでしたわ。ベッドのなかに何が入っていたのかしら。何か固《かた》いものが下にあったものですから、黒あざや青あざが体じゅうにできてしまって。なんて恐《おそ》ろしいことでしょう！」

これで、みんなはこのお姫《ひめ》さまが本当のお姫《ひめ》さまだとわかりました。だって、二十枚《まい》の敷布《しきぶ》団《とん》と二十枚《まい》のケワタガモの羽根布《はねぶ》団《とん》の下にあるエンドウ豆が、痛《いた》かったというのですから。本当のお姫《ひめ》さまでなければ、そんなものを感じ取れるはずがないでしょう。というわけで、王子さまはこのお姫《ひめ》さまをお妃《きさき》に迎《むか》えました。いまや、本当のお姫《ひめ》さまが見つかったとわかったからです。

そして、そのエンドウ豆は博物館《はくぶつかん》におさめられました。盗《ぬす》まれていないかぎり、いまでも、そこで見られるかもしれません。

そう、これは本当にあったお話なんですよ！

眠《ねむ》りの精《せい》のオーレさん

この世でいちばんたくさんのお話を知っているのは、「目閉《と》じ係のオーレさん」という眠《ねむ》りの精《せい》でね――しかも、語りがまた絶品《ぜっぴん》なんですよ！

子どもたちが夜になってもまだテーブルや子どものいすから立とうとしなければ、オーレさんの出番です。階段《かいだん》をのぼってきても音は

立てません、靴下《くつした》だけで靴《くつ》をはいていないからです。そろりとドアをくぐり、あっという間に甘《あま》いミルクを子どもたちの目にぱらり。ほんの一滴《てき》でもまぶたはたちまち重くなり、オーレさんを見るどころか目も開けていられなくなります。そのすきに後ろに回りこみ、今度は子どものうなじにそっと息をかけて頭をぐらんぐらんさせます。本当なんですよ！　だけど悪意はないんです、オーレさんは子どもが大好《だいす》きでね。ただ静《しず》かにさせたいだけで、相手が子どもじゃ寝《ね》かしつけるしかないでしょう。お話をしてあげるから、おとなしくしてねってわけです。

目閉《と》じ係のオーレさんは子どもらがぐっすり寝《ね》るが早いか、ベッドに腰《こし》をおろしてつきそいます。身なりはおしゃれですよ。絹《きぬ》の上着だけど何色と言えばいいのかな、そのときどきの動作によって赤や緑や青とさまざまに光りますから。小脇《こわき》には一本ずつ傘《かさ》を抱《かか》え、いろんな模様《もよう》の一本は良《よ》い子の上に広げてやります。すると、その子は最高《さいこう》にすてきな夢《ゆめ》を朝までいくつも見られます。もう一本はつまらない無地《むじ》の傘《かさ》でね、そっちは悪い子にさしかけます。すると寝《ね》つきが悪くなり、朝まで夢《ゆめ》どころじゃなくなります。

さて、これからのお話は、目閉《と》じ係のオーレさんがヤルマくんという小さな男の子のところへ一週間も通《かよ》ってきて聞かせてくれたものです。一週間は七日ですから、お話も七つありますよ。

月曜日

「さあ、いいかな」その晩《ばん》、オーレさんはヤルマくんを寝《ね》かしつけるとさっそく言いました。「まずは模様替《もようが》えといこうか」

すると、お部屋にあった花の鉢植《はちう》えがどれもこれも大木に育ち、天井《てんじょう》や壁《かべ》に長い枝《えだ》をかざして、お部屋の中を美しいあずまやに変《か》えました。枝《えだ》という枝《えだ》にびっしりと咲《さ》きほこる花々は、どんなバラよりきれいで香《かお》りが甘《あま》く――食べればジャムより甘《あま》いんです。枝《えだ》には金ピカの実のほかに、干《ほ》しブドウがこぼれるほど入った菓子《かし》パンも実っています。何もかもが最高《さいこう》にすてきじゃありませんか！

いきなり、ものすごい泣《な》き声《ごえ》がしました。ヤルマくんが学校の教科書を入れておく机《つくえ》のひきだしからです。

「なんだなんだ?」オーレさんは机《つくえ》に近づいて、ひきだしを開けました。すると、泣《な》いていたのは石板でした。自分に書かれた足し算がひとつ間違《まちが》っていたので、かんしゃくを起こして今にも割《わ》れそうな勢《いきお》いで盛大《せいだい》に泣《な》きわめいていたのです。付属《ふぞく》ひもの先では、石板の筆が小犬みたいにひもを振《ふ》りほどこうと跳《は》ね回《まわ》って暴《あば》れています。

間違《まちが》いを直しに行きたいのに行けないからですよ。

また泣《な》く声がしますね、こんどはヤルマくんのお習字帳です。とんでもない声だなあ、もうゾッとしちゃいますよ。お習字帳の各《かく》ページには上から順《じゅん》に、大文字がそれぞれの小文字を従《したが》えて並《なら》んでいます。そちらはお手本の字です。ヤルマくんの書いたお習字たちがその横に並《なら》んでいます。ぼくらもお手本そっくりでしょといわんばかりの顔をしていますが、決まり通りに線の上で整列せずに、ほうぼうでずっこけてしまっています。

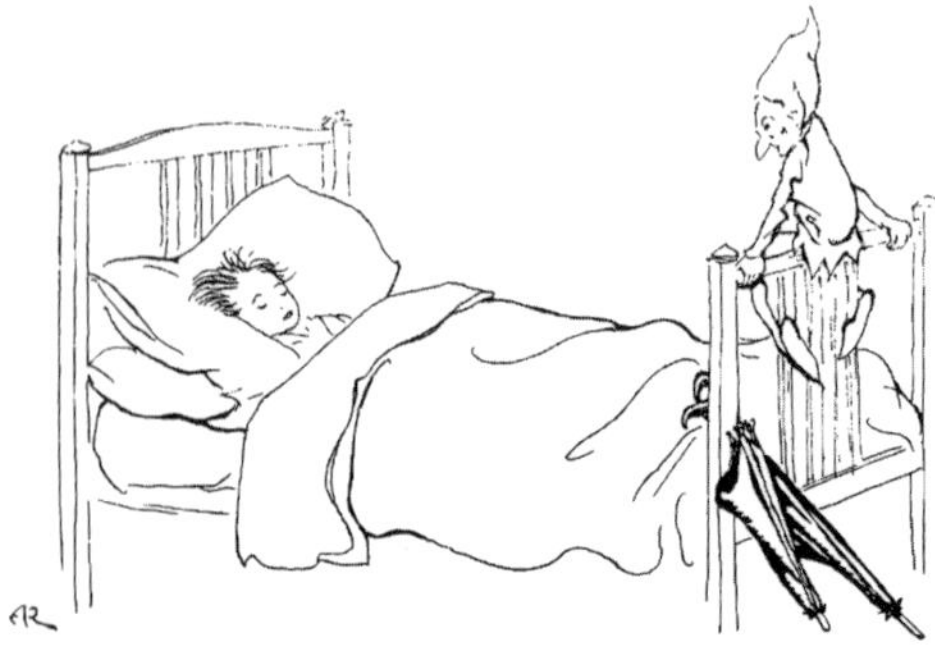

「あのね、こうだよ。しゃんと自分で立ちなさい」お手本がお手本を示《しめ》します。「いいかい、見てな。こうやって斜《なな》めになるんだよ、線は肉太にな」
「いやあ、そうしたいんだけどさ!」ヤルマくんの字が答えます。「できないの。ぼくら、ひ弱でへなへなしてるから」
「じゃあ、お薬を飲まなきゃな」と、オーレさんが言《い》い渡《わた》します。

「ええっ、やだ！」みんな悲鳴をあげてピシッと背筋《せすじ》を正しました。まあ、なかなかの見ものでしたよ。

「こうなったら、お話をしてる場合じゃないね」と、オーレさん。「こいつらを鍛《きた》えてやらんと。それ、いっちに！　いっちに！」と、文字たちを行進させ、どんなお手本よりもみごとな立《た》ち姿《すがた》を仕込《しこ》んでやりました。ですが、朝方にオーレさんが帰ったあとでヤルマくんが見たら、どの字もいつものへなへなに戻《もど》っていたのです。

火曜日

オーレさんはヤルマくんをベッドに入れるや、小さなミルクさしで寝室《しんしつ》の家具すべてに触《ふ》れて回りました。とたんに家具たちがしゃべりだします。みんな自分の話ばかりでしたが、痰壺《たんつぼ》だけは静《しず》かでした。内心ではそろいもそろって勝手なやつらだなあ、自分のことしか頭にないのか、片《かた》隅《すみ》で地道にみんなの唾《つば》を引き受ける者は無視《むし》かよと、うんざりしていたのです。

衣裳《いしょう》だんすの上には、金の額縁《がくぶち》入りの大きな絵がありま

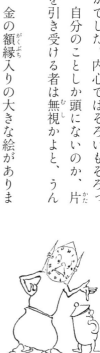

した。風景画《ふうけいが》で、大きな古い木々と花咲《はなさ》く草地があり、大きな湖から流れ出た川が森を抜《ぬ》けてたくさんの城《しろ》を巡《めぐ》り、はるか遠くの海原《うなばら》に注いでいました。

オーレさんが魔法《まほう》のミルクさしでその絵に触《ふ》れると絵の中の小鳥が歌いだし、木々の枝《えだ》を風が吹《ふ》きぬけ、雲はわだかまってゆきます。雲の影《かげ》が地表をなぞるのも見えました。

やがて、オーレさんはヤルマくんを額縁《がくぶち》の高さまで抱《だ》き上《あ》げ、絵の中の深い草地に両足をさし入れて立たせました。ヤルマくんはまばゆい木洩《こも》れ日《び》を浴《あ》びて湖に駆《か》け寄《よ》り、そこにあった小さなボートに乗りこみました。赤と白の船体に銀に輝《かがや》く帆《ほ》がついています。首に金冠《きんかん》をはめ、あざやかな青い星を額《ひたい》に飾《かざ》った六羽《わ》の白鳥に曳《ひ》かれたボートは深い森を抜《ぬ》けていきます。森の木々はひそひそと盗賊《とうぞく》や魔女《まじょ》の話をささやき、花々はか弱い小妖精《ようせい》たちの話や、蝶々《ちょうちょう》から仕入れた話をすっかり教えてくれました。

うろこを金銀に光らせたみごとな魚がボートを追いかけてきます。たまに宙《ちゅう》に躍《おど》り上《あ》がるのは――水中で「ぼちゃん」をするためです。赤いのや青いのや大小さまざまな鳥がずらりと二列になって飛《と》び、ボートの後に付《つ》き従《したが》います。ブヨは舞《ま》い、コガネムシはにぎやかな羽音を立てて我《われ》も我《われ》もとヤルマくんについてきたがり、どの生き物も手持ちのお話がひとつはあって、それを話して聞かせようとします。

なんて豪勢《ごうせい》な船遊びでしょうか！　うっそうと深い森に分け入るかと思えば、日の光とお花があふれる最高《さいこう》にきれいなお庭にぶつかることもあります。大理石とガラスでできた御殿《ごてん》がいくつも建《た》っていて、どのバルコニーにもお姫《ひめ》さまがいます。ヤルマくんはどの姫《ひめ》ともおなじみです。これまで一緒《いっしょ》に遊んだことのある女の子たちばかりですからね。姫《ひめ》たちが差《さ》し出《だ》した手には、お菓子《かし》売りのおばさんの商品の中でもいちばんきれいな砂糖《さとう》細工の豚《ぶた》ちゃんがひとつずつ載《の》っています。差《さ》し出《だ》された豚《ぶた》を、ヤルマくんは通りがけに全部つかみましたが、姫《ひめ》のほうもすかさず手を引っこめて、全部は渡《わた》すまいとします。ふたつにちぎれた豚《ぶた》の小さいほうを姫《ひめ》が、大きいほうをヤルマくんがもらいました。どの御殿《ごてん》の番兵《ばんぺい》も小さい王子たちがつとめています。王子たちが剣《けん》を立ててさっと敬礼《けいれい》すると、干《ほ》しブドウや錫《すず》の兵隊《へいたい》が雨あられと降《ふ》ってきました。ほんものの王子はこうでなくてはね。

ヤルマくんのボートは森を抜《ぬ》け、大きな館をいくつも通《とお》り抜《ぬ》け、町をいくつも通過《つうか》しました。ヤルマくんがまだほんの赤《あか》ん坊《ぼう》だったころに、抱《だ》っこしてかわいがってくれた乳母《うば》やのいる町にもきましたよ。乳母《うば》やは手を振《ふ》りながらおじぎして、前にヤルマくんに送ってよこした自作のかわいらしい歌を歌ってくれました。

いつだって忘《わす》れたことなどありません
わたしの大事なヤルマちゃん
ずっとキスしてきましたね、その柔《やわ》らかい唇《くちびる》に
ぷっくりほっぺに、澄《す》んだおめめに
生まれて初《はじ》めて笑《わら》った声も泣《な》いた声も覚《おぼ》えています
あなたにバイバイされる日がまさかあんなに早いとは
ずっとずっと神さまが守ってくださいますように
ヤルマちゃん、天国からきたわたしの天使ちゃん

その歌に鳥たちもそろって声を合わせ、花々は茎《くき》を揺《ゆ》らして踊《おど》り、古木たちはまるでオーレさんのお話を聞いている時みたいにうなずいて聞き入っていましたよ。

水曜日

ずいぶんな荒《あ》れ模様《もよう》ですね！　寝《ね》ているヤルマくんの耳にも嵐《あらし》の音が届《とど》きそうです。オーレさんが窓《まど》を開けると、大水が窓敷居《まどしきい》まで押《お》し寄《よ》せていました。おもては正真《しょうしん》正銘《しょうめい》の湖となり、すてきな船が家に横づけしています。

「一緒《いっしょ》に船旅でもしないか、ヤルマくん」と、オーレさん。「遠い国々をひと巡《めぐ》りして、朝までには帰ってこられるよ」

とたんに、ヤルマくんは日曜日の晴れ着でそのすてきな船の甲板《かんぱん》に立っていました。たちまち雲が消え、抜《ぬ》けるような青空の下で、船は表通りをひた走って教会の角を折《お》れました。今度はどこまでも開けた大海原《おおうなばら》です。陸地《りくち》が見えなくなると、ふるさとを離《はな》れて温暖《おんだん》な土地をめざすコウノトリの群《む》れに行き合いました。縦《たて》一列で飛《と》ぶコウノトリたちは大変《たいへん》な長旅をしてきており、一羽《わ》は疲《つか》れきって翼《つばさ》もうまく動かせません。列の最後尾《さいこうび》に落ち、みるみる遅《おく》れていきます。ついには羽をありったけ広げても高度を保《たも》てなくなり、弱った翼《つばさ》であがくうちに帆綱《ほづな》に足を引っかけて帆《ほ》をすべり落ちてしまい、甲板《かんぱん》に叩《たた》きつけられました。

そこで船室のボーイに捕《つか》まって、めんどりやアヒルや七面鳥と一緒《いっしょ》くたの鳥小屋に入れられ、かわいそうに仲間《なかま》はずれになってしょんぼりしていました。

「おかしなやつが来たよ！」めんどりどもが口をそろえて騒《さわ》ぎたてます。七面鳥は盛大《せいだい》にふくらんで、何者だとすごんできました。引き気味になったアヒルどもは、「怪《あや》しいやつ！　おおかたペテン師《し》だよ！」などと内輪《うちわ》で陰口《かげぐち》を叩《たた》いています。

それでコウノトリはピラミッドだの、砂漠《さばく》を野生馬顔負けに駆《か》けまわるダチョウなど、暑いアフリカの風物をあれこれ話してやりました。ですが、アヒルどもにはさっぱり通じません。聞こえよがしに言うには、「いかれ野郎《やろう》で異議《いぎ》なしか？」

「ああ決まりだな、いかれ野郎《やろう》だ」七面鳥に喉声《のどごえ》で決めつけられても、コウノトリはじっと黙《だま》ってアフリカのことを考えていました。

「ずいぶんな脚線美《きゃくせんび》だな、針金《はりがね》かよ」と、七面鳥。「一ヤード（約九十センチ）いくらだね？」

「ガアガアガア！」アヒルどもには大受けしましたが、コウノトリは知らん顔です。

「あんたも笑《わら》ったっていいじゃないか」と、七面鳥。「すごく気《き》が利いた冗談《じょうだん》なのに。あっ、それとも深すぎてわかんなかったか？　まあ、大したおつむじゃないのは確《たし》かだな。だったら違《ちが》いのわかるおれたちだけで楽しくやろうぜ」

めんどりどもはげらげら笑《わら》い、アヒルどもも「さっさとガア！　空気読めよガア！」と鳴きたて、よってたかって一羽《わ》をいじめる様子は見るも不快《ふかい》でした。ところが、そこでヤルマくんが鳥小屋の裏口《うらぐち》を開けてコウノトリを呼《よ》びだします。コウノトリはポンと出てくると、もう羽も休めたし、いろいろありがとうと頭を下げて暖《あたた》かい国へ飛《と》んでいってしまいました。めんどりどもはそれでもまだぶつくさ言い、アヒルどもは騒《さわ》ぎたて、七面鳥は顔をまっ赤《か》にして怒《おこ》っています。

「おまえたちなんか、明日はスープにしてやる！」ヤルマくんは言ってやりました。とたんに目が覚《さ》めて、いつもの小さなベッドにいます。オーレさんとの一夜の旅は、まさに驚《おどろ》くことばかりでした。

木曜日
「いいかい、くれぐれも」と、オーレさん。「怖《こわ》がるのはなしにしてくれよ。ちっぽけなネズミを出したぐらいで」と、出された片手《かたて》には本当にちっぽけな生き物がいました。

「このネズミはね、婚礼《こんれい》に出てくれませんかときみを誘《さそ》いにきたんだよ。今夜、ここの家で小さいハツカネズミ二匹《ひき》の婚礼《こんれい》があるんでね。新婚夫婦《しんこんふうふ》の新居《しんきょ》はきみのお母さんが食べ物をしまっておくパントリーの床下《ゆかした》にあって、最高《さいこう》のお住まいなんだって」

「でも、あの小さなネズミ穴《あな》をくぐって床下《ゆかした》へ行くなんて、どうやって？」ヤルマくんが尋《たず》ねました。

「そっちはおれが引き受けた」オーレさんに言われました。「任《まか》せといてくれ、小さくしてあげるから」と、あの魔法《まほう》のミルクさしでヤルマくんに触《さわ》ります。すると小さく縮《ちぢ》んでゆき、とうとう人間の指ぐらいになりました。「さて、錫《すず》の兵隊《へいたい》さんの軍服《ぐんぷく》を借《か》りなさい。きっと似合《にあ》うだろうよ、軍服《ぐんぷく》はいつでもパーティー映《ば》えするからね」

「いいねえ！」と言ったとたん、ヤルマくんは最高級《さいこうきゅう》の兵隊《へいたい》人形みたいに、さっそうと軍服《ぐんぷく》を着こなしていました。

「よろしければ、お母さまの指ぬきにお乗りになりません？」さっきのハツカネズミに言われました。「つつしんで、わたくしがお乗り物を引いてご案内《あんない》いたしますわ」

「えっ、ほんとですか。若《わか》いお嬢《じょう》さんがそこまでしてくださるなんて」ヤルマくんは驚《おどろ》いて声を上げました。

こうして、ハツカネズミの結婚式《けっこんしき》に連《つ》れだって出かけました。まず穴《あな》をくぐると、床下《ゆかした》の長廊下《ながろうか》に出ます。指ぬきがぎりぎり通る高さの廊下《ろうか》には、両側《りょうがわ》に朽《く》ち木《き》の灯《ひ》がともっていました。

「ここの香《かお》りはすてきでしょう？」指ぬきを引くハツカネズミに言われました。「廊《ろう》下《か》の端《はし》から端《はし》までベーコンの皮で艶出《つやだ》しをかけてありますの。やはり艶出《つやだ》しはこれに限《かぎ》りますわね」

さあ、いよいよ式場に到着《とうちゃく》です。式場の向かって右手にハツカネズミのご婦人客《ふじんきゃく》がそろい、小声で雑談《ざつだん》しながら面白《おもしろ》そうにくすくす笑《わら》い合《あ》っています。左にかたまって口ひげをひねっているのはハツカネズミの男性陣《だんせいじん》です。新郎新婦《しんろうしんぷ》は中央にすえた外皮だけのチーズの空洞《くうどう》にこもって、一同の前で激《はげ》しいキスシーンを繰《く》り広《ひろ》げていました。ですが、もちろん婚約者同士《こんやくしゃどうし》で、この後すぐに夫婦《ふうふ》になるわけですから。

招待客《しょうたいきゃく》がぞくぞくとつめかけて押《お》し合《あ》いへし合い、ネズミがネズミに踏《ふ》みつぶされそうです。入口には花嫁花婿《はなよめはなむこ》が立ちはだかって出入りをふさいでいます。廊下《ろうか》や式場全体の艶出《つやだ》しに使われたベーコンの皮が、披露宴《ひろうえん》のごちそうにも使い回されていました。ただしデザートに出されたのは一粒《つぶ》だけのエンドウ豆で、家族のハツカネズミのだれかが、花嫁花婿《はなよめはなむこ》の名入りのつもりで、ふたりの頭文字《かしらもじ》を歯で刻《きざ》んでいました。ずいぶん毛色の変《か》わった趣向《しゅこう》もあるものです。

すてきなお式だった、本当に盛《も》り上《あ》がったとハツカネズミ陣《じん》にはもれなく好評《こうひょう》で、ヤルマくんもあの指ぬきにまた乗りこんで帰っていきました。兵隊《へいたい》人形の軍服《ぐんぷく》に合わせてずいぶん縮《ちぢ》まなくてはなりませんでしたが、おかげで毛並《けな》みのいい方々と同席《どうせき》する機会《きかい》に恵《めぐ》まれたというわけです。

金曜日

「おれはね、きみより年かさの人たちには引っぱりだこなんだ、びっくりするほど」と、オーレさんは言います。「特《とく》に、悪事で後ろめたい人ね。「いやあ、これはこれは。オーレくんじゃないか」と迎《むか》えられてさ。「自分じゃ眠《ねむ》

れないんだよ。夜通し目を覚《さ》まして横になってると、おぞましい小さな悪魔《あくま》に姿《すがた》を変《か》えた過去《かこ》の悪事がうじゃうじゃ出てきてベッドの端《はし》に腰《こし》かけるだろ、おかげで全身汗《あせ》びっしょりさ。頼《たの》むからあいつらを追っぱらってくれよ、そうして心おきなく夜通し眠《ねむ》れるように計らってくれないか？」そこでありったけの息をついて、「金なら喜《よろこ》んではずむよ。おやすみ、オーレくん。礼金は窓辺《まどべ》に置《お》いといたからね」ってさ。でも、おれは金と引きかえの仕事は受けないから」

「で、今晩《こんばん》はどうするの？」ヤルマくんは言いました。

「うーん、どうだろう、なんならまた婚礼《こんれい》に出るのはいやかい、ゆうべとはがらりと趣《おもむき》が違《ちが》うけど。おたくの姉さんの大型《おおがた》人形で、見るからに男っぽいヘルマンというやつが、ベルタって人形と結婚《けっこん》するんだ。しかもベルタの誕生日《たんじょうび》とも重なっててさ、さぞかしお祝《いわ》い品《ひん》の山ができるだろうな」

「ああ、そうだね」ヤルマくんは言いました。「人形の服をどうしても新調したくなると、うちのお姉ちゃんは決まって誕生会《たんじょうかい》か婚礼《こんれい》をやるんだ。もうこれで百回にはなるよ」

「だよな、でも今夜の婚礼《こんれい》は百一回めだろ。百一回もやれば、いろんな物事にけりがつくんだ。だから今夜のお祝《いわ》いは格別《かくべつ》のはずさ。おっ、あれだな！」

ヤルマくんがテーブルを見ると、どの窓《まど》にも灯《ひ》がともったボール紙の小さな家があり、玄関先《げんかんさき》に錫《すず》の兵隊《へいたい》がずらりと並《なら》んでいます。新郎新婦《しんろうしんぷ》は床《ゆか》に座《すわ》り、テーブルの脚《あし》にもたれていました。もっともな理由でどちらも考えこんでいます。オーレさんはおばあちゃんの黒いペチコートで牧師《ぼくし》さんに化けて、ふたりを結婚《けっこん》させました。お式がとどこおりなくすむと、室内家具全員からなる聖歌隊《せいかたい》が、鉛筆《えんぴつ》くんの書いたすてきな詞《し》を歌い上げます。曲はミリタリー・タトゥーといって、門限《もんげん》が近づいたと兵士《へいし》らに知らせるためのものです。

日輪《にちりん》のごと高らかに、いざやこぞりて声を上げ
今しもひとつに結《むす》ばれし、めおとをたたえ歌うべし
彼《かれ》らの想《おも》いの来し方の、細かなあやには疎《うと》くとも
どちらの想《おも》いが勝《まさ》ったか、詳《くわ》しき話は知らねども
ああ、これにより革材《かわざい》と木材《もくざい》よろしく相和《あいわ》せり
いざやこぞりて声を上げよ、日輪《にちりん》のごと高らかに

その後に新郎新婦《しんろうしんぷ》はお祝《いわ》いをもらいましたが、宴《うたげ》のごちそうには手をつけません。

自分たちは愛《あい》があれば生きていけるのだからと言うのです。

「さて、新婚《しんこん》旅行先だけど。夏が楽しめる行楽地がいいかな？　それとも船旅？」と、お婿《むこ》さんは旅慣《たびな》れたツバメと、五度もひなをかえした頼《たよ》れるおばさま鶏《どり》に相談を持ちかけました。ツバメは大房《おおぶさ》のブドウがずっしりと実り、優《やさ》しい風やこちらにない色鮮《いろあざ》やかな山地に恵《めぐ》まれた、温暖《おんだん》で美しい国々の話をしてくれました。

「だけど、こっちみたいに青々したキャベツはないでしょ」おばさま鶏《どり》が言います。「あたしはね、ひな全員を田舎《いなか》に連《つ》れてってひと夏過《す》ごしたことがあるの。お砂場《すなば》があってさ、朝から晩《ばん》までずっと掘《ほ》り返《かえ》していられたね。キャベツを育てる畑にも入れてもらって。もう、その緑の鮮《あざ》やかなことったら！　あれよりきれいなものなんて思いつかないわ」

「けどさ、キャベツなんかどれもこれも似《に》たようなもんじゃないか」と、ツバメ。「しかもこっちは天候不順《てんこうふじゅん》が多いからねえ。今は寒くて――こごえちゃう」

「その寒さがキャベツ向きなの」おばさま鶏《どり》は言《い》い張《は》ります。「それに、こっちにだって暖《あたた》かい日は結構《けっこう》あるじゃない。四年前なんか猛暑《もうしょ》だったわよ？　うだるような暑さが五週間も続《つづ》いてさ、息をするのもつらかったわ。しかもこっちなら、南国にはびこる毒《どく》の生き物や賊《ぞく》には出くわさないからね。自分の国がいちばんだって思わないやつは、ろくでなしよ。住む資格《しかく》なんかない！」おばさま鶏《どり》はわっと泣《な》きだして、涙《なみだ》ながらに、「あたしだって世間並《な》みに旅ぐらいしたわよ。一度なんか、かごに押《お》しこめられて十二マイルも。あんなののどこが楽しいんだい」

「そうよそうよ、さすがはおばさん！」そう言ったのは人形のベルタでした。「山はわたしもちょっとね。だって上り坂からの下り坂でしょ、ごめんだわ。それよりお砂《すな》場《ば》の近くへ出かけてキャベツ畑をお散歩《さんぽ》しましょうよ」

で、そうなりました。ツルの一声ですね。

土曜日

「ねえ。お話、なにかない？」ヤルマくんは、オーレさんに寝《ね》かしつけられるのを待ちかねてせがみました。

「あいにく今夜はひまがない」オーレさんはとってもきれいな傘《かさ》をさしかけてくれました。「この絵の中国人たちでも見ててくれ」

傘《かさ》の全面に中国陶磁器《とうじき》の大鉢《おおばち》そっくりな絵柄《えがら》があしらわれ、青い木立や太鼓橋《たいこばし》がいくつもあって、太鼓橋《たいこばし》の上から小さな中国人たちが目礼しています。

「朝までに世界中をきれいにお掃除《そうじ》しないと」と、オーレさん。「日曜は安息日だから。おれは教会の鐘楼《しょうろう》へあがってって、最高《さいこう》の音で鳴るように、教会の小人《こびと》たちの鐘《かね》磨《みが》きを監督《かんとく》しなくちゃ。あとは畑で、草木の葉についたほこりを風がきれいに吹《ふ》き払《はら》ったかどうかも確《たし》かめなくちゃ。なにより大変《たいへん》なのは、空の星を全部外してピカピカにする作業だよ。外した星は作業用エプロンにまとめて入れるんだけど、その前にひとつひとつ番号をつけて、外したあとの穴《あな》にもちゃんと同じ番号を振《ふ》っていき、戻《もど》す時に間違《まちが》わないようにしないとね。でないと、きちんと穴《あな》にはまらないから。そうなったらあとからあとから星が転がり落ちて、無数《むすう》の流れ星になっちまうんだ」

「いやはや、目閉《と》じ係さんや」ヤルマくんの寝室《しんしつ》にかかった古い肖像画《しょうぞうが》のひとつが声を上げました。「ヤルマの曽祖父《そうそふ》にあたる者ですが、この子にいろんなお話をしてくださってありがたいとはいえ、子どもの頭に妙《みょう》なことを吹《ふ》きこむのはいかがなものか。星を外して磨《みが》くなんぞ、できない相談でしょうが。地球のようにそれぞれの星にも世界がある、だからこそ美しいんじゃありませんか」

「ご意見恐《おそ》れ入《い》ります、曽祖父《そうそふ》どの」オーレさんは答えました。「重々《じゅうじゅう》ありがたく！この家ではあなたさまが長老《ちょうろう》でご先祖《せんぞ》さんの最古参《さいこさん》でしょうが、年齢《ねんれい》ではおれのほうが上ですからね。なんせ、キリスト教の前からおりますんで。古代ギリシア人やローマ人には夢《ゆめ》の神と呼《よ》ばれておりましたよ。貴族《きぞく》の館にも行ったことがありますし、いまだに行ってます。こう見えて、貴賤《きせん》を問わず人づきあいは心得《こころえ》てます。そういうあなたこそ、ご」自分でお話をしてあげなさいよ。オーレさんは元通りに傘《かさ》をたたみ、小脇《こわき》に抱《かか》えて出て行きました。
「やれやれ！　今日びは意見もしてはいかんらしい」などと肖像画《しょうぞうが》の老人《ろうじん》はぶつくさこぼして、ヤルマくんの目を覚《さ》ましてしまいました。

日曜日
「や、こんばんは」オーレさんが来てくれました。ヤルマくんはうなずくなり、曽祖父《そうそふ》の肖像画《しょうぞうが》へ駆《か》け寄《よ》って壁側《かべがわ》へ裏返《うらがえ》しました。ゆうべのような口出しをさせないためです。
「さあ、お話をしてよ。一つさやに同居《どうきょ》した豆五粒《つぶ》の話とか、めんどりの足跡《あしあと》に求愛《きゅうあい》したおんどりの足跡《あしあと》の話とか、細いとうぬぼれて縫《ぬ》い針《ばり》きど

りになった穴《あな》かがり針《ばり》の話とかを」

「過《す》ぎたるは及《およ》ばざるがごとしだろ」オーレさんは言いました。「それにね、今夜は見せたいものがあるんだ。おれの弟を見せてやろう。弟も目閉《と》じ係のオーレというんだが、だれのところにも一度しか行かない。自分が乗ってきた馬に相乗りさせて、馬の背《せ》に揺《ゆ》られながらお話をするんだ。手持ちのお話はふたつだけ。ひとつはこの世のだれにも思いつけないほど美しく、ひとつはとうてい口では言えないほど恐《おそ》ろしい」

そう話してから、ヤルマくんをひょいっと窓辺《まどべ》に抱《かか》え上《あ》げました。「あれだよ。弟が見えるだろう、もうひとりの目閉《と》じ係のオーレが。またの名を死神という。実物の弟は見ての通り、絵本に出てくる骸骨《がいこつ》そっくりのひどい姿《すがた》とは似《に》ても似《に》つかない。それどころか、あいつの上着は銀の刺繍《ししゅう》入りだ。軽騎兵《けいきへい》の軍服《ぐんぷく》の豪華版《ごうかばん》だね、それに黒ビロードのマントをなびかせて自在《じざい》に馬を駆《か》る。みごとな早駆《はやが》けじゃないか」

見れば、もうひとりのオーレさんは自分の馬に若者《わかもの》や老人《ろうじん》を乗せています。人によって手前に乗せたり、後ろに乗せたりで、その前に決まって、「成績表《せいせきひょう》の品行は？」と聞きます。するとみんな「良好《りょうこう》です」と答えるのですが、「そうかい、なら、ちょっと見せてもらおうか」と言われます。そうすると渡《わた》さないわけにはいきません。

「大変良好《たいへんりょうこう》」や「極《きわ》めて良好《りょうこう》」の人はみんな馬の前に乗せてもらい、すてきなお話が聞けます。でも「並以下《なみいか》」や「劣悪《れつあく》」の人は馬の後ろに回され、身の毛のよだつような話を聞かされます。その人たちはがたがた震《ふる》え、べそをかいて馬から飛《と》び降《お》りようとしますが、そうはいきません。乗ったとたんに馬にしっかりくっついてしまうんです。

「へーえ、いちばんきれいな目閉《と》じ係のオーレさんは死神なんだ」ヤルマくんがすっとんきょうな声をあげました。「あの人なら怖《こわ》くないや」

「怖《こわ》がるまでもないさ」と、オーレさん。「成績表《せいせきひょう》の評価《ひょうか》にさえ気をつけていれば」

「今のそれは、実にためになるお話ですな」肖像画《しょうぞうが》の曽祖父《そうそふ》がぽつりと洩《も》らしました。「意見を述《の》べる時には肝《きも》に銘《めい》じましょう」と、完全《かんぜん》に納得《なっとく》しています。

オーレさんのお話はそのへんにしておきましょうか。今夜は自分でみなさんに会いにきて、もっといろいろ話してくれるかもしれませんよ。

小さいクラウスと大きいクラウス

　ある村に同じ名の男がふたりいました。どちらもクラウスですが、片方《かたほう》のクラウスの持ち馬は四頭なのに、もうひとりのクラウスは一頭だけです。ですからふたりを区《く》別《べつ》するために、四頭の持ち主はみんなから大きいクラウス、一頭だけの男は小さいクラウスと呼《よ》ばれていました。さて、それでですね。これから、ふたりに起きたことをありのままにお聞かせしますよ。

　小さいクラウスは一週間ぶっ通しで大きいクラウスの畑を耕《たがや》し、おまけになけなしの馬まで貸《か》してやるはめになりました。見返りに大きいクラウスも自分の四頭を貸《か》してはくれますが、週に一日だけ、しかも日曜限定《げんてい》です。

日曜ごとに小さいクラウスは五頭の馬をそろえ、得意顔《とくいがお》でムチをふるいました。その日だけは曲がりなりにも五頭の馬持ちですから。お天道《てんとう》さまはひときわ晴れやか、教会の鐘楼《しょうろう》の鐘《かね》まで景気《けいき》よく鳴りわたります。日曜日の晴れ着で讃美歌《さんびか》集を小脇《こわき》に抱《かか》えて教会へ向かう村人たちも、五頭もの馬をあやつる小さいクラウスにいやでも注目します。にわか注目の的《まと》はもう有頂天《うちょうてん》で、ムチを鳴らして号令《ごうれい》をかけました。「進め、おれの馬ども！」

「大概《たいがい》にしろ」大きいクラウスが釘《くぎ》を刺《さ》しました。「おたがい百も承知《しょうち》だろうが、おまえの馬はあの中の一頭だけだ」ですが、また教会へ行くだれかの目を意識《いしき》すると、小さいクラウスは釘《くぎ》を刺《さ》されたことも忘《わす》れて号令《ごうれい》するのでした。「進め、おれの馬ども！」

「やめろ、そのセリフは二度と言うな」と、大きいクラウス。「もっぺん言ってみやがれ、引《ひ》き綱《づな》を外さずにおまえの馬を殴《なぐ》り倒《たお》す。そうなりゃひとたまりもなかろう」

「耳障《みみざわ》りなことはもう言わんよ」小さいクラウスは約束《やくそく》しました。それなのに、通りすがりの村人たちに会釈《えしゃく》されて声をかけられたぐらいであっさり舞《ま》い上《あ》がり、畑仕事に五頭もの馬を使う羽振《はぶ》りのよさを見せびらかそうと、またしても大声を出してしまいました。「進め、おれの馬ども！」

「おまえの馬をあの世へ進めといてやらあ」大きいクラウスは木づちで小さいクラウスのなけなしの馬の頭をぶん殴《なぐ》り、その場で死なせてしまいました。

「持ち馬がいなくなっちまったよう」小さいクラウスは涙《なみだ》にくれました。それでも死んだ馬の皮をていねいにはいで陰干《かげぼ》しし、袋《ふくろ》に詰《つ》めこんで肩《かた》にかつぐと、近くの町へ売りに行きました。

町へはまだだいぶあり、途中《とちゅう》で昼なお暗い森を抜《ぬ》けなくてはなりません。途中《とちゅう》でいきなり悪天候《あくてんこう》にみまわれて道に迷《まよ》い、また街道《かいどう》に行き当たる前に日が暮《く》れてしまいました。このまま町へ向かおうが、いったん家に引き返そうが、どう転んでも、たどり着く前に夜になってしまいます。

見れば、道からやや引っこんだ場所に大きな農家があります。窓《まど》はよろい戸をおろしていますが、よろい戸の上から光が洩《も》れていました。「うまくすれば、ここで一晩《ひとばん》泊《と》めてもらえるかな」と思った小さいクラウスは、戸口をノックしに行きました。

出てきたのは農夫《のうふ》のかみさんでしたが、小さいクラウスの頼《たの》みをはねつけ、とっとと行っちまえ、亭主《ていしゅ》の留守《るす》中にどこの馬の骨《ほね》かわからんやつを家に入れられるもんかなどと、取りつくしまもありません。

「だったら野宿しかないか」そう思ったとたんに、鼻先で戸をばたんとやられました。農家のそばに大きな干し草山《ぐさ》があり、そこからは脇《わき》の小納屋《なや》のわら屋根によじのぼれます。「あそこで寝《ね》よう」わら屋根を見て、小さいクラウスは言いました。「寝心地《ねごこち》は最高《さいこう》だろう。あとでコウノトリが舞《ま》い降《お》りて、おれの脚《あし》に嚙《か》みつきませんように」

屋根のてっぺんには、ほんものの生きたコウノトリが巣《す》の上に立っていたからです。

そんなわけで小さいクラウスは小納屋《なや》によじのぼって寝《ね》そべり、体をなじませようと寝返《ねがえ》りを打ちました。そのはずみに、上まで閉《と》じきらないよろい戸ごしに母屋《おもや》の中が見えました。大テーブルにワインやお肉のローストやおいしい魚料理《りょうり》などのごちそうがずらりと並《なら》び、あのかみさんと教会の堂守《どうもり》の男がふたりきりでテーブルについています。堂守《どうもり》はかみさんのお酌《しゃく》で、ワインを片手《かたて》に脇目《わきめ》も振《ふ》らずに魚をぱくついています。よほどの好物《こうぶつ》なのでしょう。

「あーあ、こっちにもおこぼれが回ってこねえかなあ」などと小さいクラウスが窓《まど》のほうへ首を伸《の》ばせば、特大《とくだい》のうまそうなケーキが目に入りました。中じゃ、ずいぶん豪勢《ごうせい》にやってやがるじゃないか！

ちょうどそこへ、道からおりてきて近づく馬の気配がしました。ここの亭主《ていしゅ》のご帰《き》還《かん》です。ご亭主《ていしゅ》はおおむね人格者《じんかくしゃ》ですが、ただひとつ、教会の堂守《どうもり》というやつが大嫌《だいきら》いで、ちらりとでも目にしようものならたちまち激怒《げきど》して襲《おそ》いかかってきます。あの堂守《どうもり》が亭主《ていしゅ》の留守《るす》中にわざわざ仲《なか》よしのかみさんに会いにきて、大ごちそうにあずかったのはそうしたわけでした。かみさんは亭主《ていしゅ》の足音に気づいてがたがた震《ふる》えだし、片隅《かたすみ》にあった空っぽの物入れに隠《かく》れてくださいと堂守《どうもり》に頼《たの》みこみます。堂守《どうもり》はすぐその通りにしました。ご亭主《ていしゅ》にひどく毛嫌《けぎら》いされているという自覚《じかく》はしこたまあったのでね。かみさんはかみさんで、ごちそうやワインをまとめて隠《かく》してしまいました。だって亭主《ていしゅ》に見つかろうものなら、答えに困《こま》ることを根掘《ねほ》り葉掘《はほ》り聞かれるのは目に見えているじゃないですか。

「あーあ！」ごちそうが影《かげ》も形もなくなると、小納屋《なや》の屋根ではため息が洩《も》れました。「そこにいるのはだれだね？」亭主《ていしゅ》が小さいクラウスのほうを見上げました。「そんなとこで何してなさる？　なかへ入ったらいい」屋根から降《お》りてきた小さいクラウスは道に迷《まよ》ったと打ち明け、今夜の宿を借《か》りたいと頼《たの》みました。

「いいとも」と、亭主《ていしゅ》。「だけど、先に腹《はら》ごしらえからだな」

さっきのかみさんが機嫌《きげん》よく出迎《でむか》え、テーブルを支度《したく》して大碗《おおわん》にたっぷりとおかゆを出しました。空《す》きっ腹《ぱら》の亭主《ていしゅ》はさかんに食べていますが、小さいクラウスのほうはオーブンに隠《かく》れている、さっきのローストや魚料理《りょうり》やケーキが目の前にちらついて困《こま》ります。テーブルに隠《かく》れた足元にはよくご承知《しょうち》のいきさつで、これから町で売ってくる馬の皮の袋《ふくろ》があります。おかゆがちっとも口に合わないクラウスはこの袋《ふくろ》を踏《ふ》んづけ、派手《はで》にキュウキュウいうまで馬皮を鳴らしてやりました。

「しいっ、黙《だま》ってろ！」と袋《ふくろ》に言いながら、前以上《いじょう》に力をこめていっそう派手《はで》に鳴らします。

「その中身はいったい何だね？」亭主《ていしゅ》が尋《たず》ねます。

「いやあ、ただの魔法使《まほうつか》いですよ」小さいクラウスは言いました。「そいつがね、別《べつ》にかゆなんざ食うには及《およ》ばん、そこのオーブンに、ローストや魚料理《りょうり》やケーキなんぞを魔法《まほう》でいっぱい詰《つ》めこんでやったからって」

「なんだって？」亭主《ていしゅ》はあわててオーブンを開け、言われた通りのごちそうを見つけだしました。隠《かく》した張本人《ちょうほんにん》はかみさんですが、亭主《ていしゅ》は袋《ふくろ》の中の魔法使《まほうつか》いが魔法《まほう》で出してくれたんだと信《しん》じこんでいます。かみさんもうかつなことは言えなくなり、肉も魚もケーキも出してきて、ふたりに腹《はら》いっぱい食べさせました。

やがて、小さいクラウスはまた袋《ふくろ》を踏《ふ》んづけて鳴らしました。

「今度はなんだって？」と亭主《ていしゅ》が尋《たず》ねました。

「今度はな」小さいクラウスが答えます。「オーブンの陰《かげ》になった隅《すみ》っこにワインを三本出しといた、ふたりで晩酌《ばんしゃく》でもしてくれってさ」

おかげでかみさんは、さっきのワインまで出すはめになりました。亭主《ていしゅ》はワインで気が大きくなり、小さいクラウスの袋《ふくろ》に入っている魔法使《まほうつか》いがほしくなってきました。

「そいつは悪魔《あくま》を出せるかい？」亭主《ていしゅ》が興味《きょうみ》しんしんで、「ちょうど、そんなのを見たい気分だったんだよ」

「そりゃあもう」と、小さいクラウス。「うちの魔法使《まほうつか》いは何でもおれの言う通りにするんだ。だろ？」と、袋《ふくろ》が鳴るまで踏《ふ》んづけます。「今のを聞いたか？」「はい」だとさ。ただまあ、出せるには出せるがね、見て楽しいもんじゃねえぞ」

「ああ、おれなら構《かま》わんよ。どんなやつだ？」

「それがな、いやになるほど教会の堂守《どうもり》そっくりなんだと」

「ほほう」と、亭主《ていしゅ》。「あれくらいみっともないのか？　堂守《どうもり》なんざ目の汚《けが》れだ。だが、それしきで引き下がるのもしゃくだな。ただの悪魔《あくま》と知ってりゃ、さほど目障《めざわ》りでもなかろう。そばに寄《よ》ってきさえしなきゃ、まっこうから面《つら》を拝《おが》んでやる」

「待て、話してみるから」小さいクラウスは袋《ふくろ》を踏《ふ》みつけ、かがんで聞き耳をたてました。

「で、何だって？」と、亭主《ていしゅ》。

「あんたにあの隅《すみ》っこの物入れのふたを開けろ、中にしゃがみこんだ悪魔《あくま》が見えるだろうよって。だが、くれぐれもふたはしっかり押《お》さえとけよ、逃《に》がしちゃだめだぞ」

「あんたも手を貸《か》してくれるかい？」亭主《ていしゅ》は物入れへ近づきました。震《ふる》えながらかみさんに隠《かく》してもらった堂守《どうもり》はもう怖《こわ》くて死にそうです。亭主《ていしゅ》は物入れのふたを上げて中をのぞきました。

「おおう！」ぱっと後ずさり、「見たぞ、うちの教会の堂守《どうもり》そっくりだ。ぞっとするぜ！」。その後はどちらも一杯《ぱい》ひっかけずにはいられなくなり、夜遅《よるおそ》くまでおみこしをすえて飲《の》み倒《たお》しました。

「その魔《ま》法使《ほうつか》いをぜひ譲《ゆず》ってくれ」亭主《ていしゅ》が持ちかけました。「言《い》い値《ね》で構《かま》わん。なんならこの場でブッシェルます（訳註《やくちゅう》：三十五リットル入りの大型《おおがた》ます）ひとつ分の銭《ぜに》を払《はら》おう」

「いやあ、そんな殺生《せっしょう》な」小さいクラウスが渋《しぶ》ります。「考えてもみてくれよ、こいつがどんだけ役に立ってくれてるかを」

「だがねえ、だからこそ譲《ゆず》ってほしいんだよ」亭主《ていしゅ》も負けじと粘《ねば》ります。

「まあいい」小さいクラウスはとうとう根負けしました。「あんたにゃよくしてもらって、一宿一飯《いっしゅくいっぱん》の義理《ぎり》がある。その頼《たの》みを断《ことわ》るわけにはいかんわな。この袋《ふくろ》、ブッシェルますひとつ分の銭《ぜに》と引きかえに譲《ゆず》ってやろう。ただし、ますは絶対《ぜったい》に山盛《やまも》りでよろしくな」

「ああいいよ。ただし、あっちの物入れもぜひまとめて引きとってくれ。たとえ一時間でも、あんなものをうちの中に置《お》いときたくない。まだあの中にいるかもしれんし、何があるかわかったもんじゃないからな」

Arthur Rackham

まあそんななりゆきで、小さいクラウスは干《ほ》し皮《かわ》入りの袋《ふくろ》とひきかえに、ブッシェルますに山盛《やまも》りの銭《ぜに》をせしめました。しかも亭主《ていしゅ》は銭《ぜに》と物入れを運びなさいと、荷車までポンとおまけしてくれたのです。

「じゃあ達者《たつしゃ》でな」小さいクラウスはせしめた銭《ぜに》と、堂守《どうもり》入りの物入れを持ってとっととおさらばしました。昨日《きのう》の森の手前に深くて広い川があります。流れに勢いがあり、泳ぎ渡《わた》るのはまず無理《むり》な難所《なんしょ》です。小さいクラウスは川にかかった新しい大橋の中ほどまでで足を止め、物入れの中の堂守《どうもり》にも聞こえるように大声で言いました。

「こんな、でかいばかりの箱なんかどうすんだよ？　石みたいに重くてもうへとへとだ、とてもじゃないがこれ以上《いじょう》は運べねえ。いっそこの川へぶん投げちまって、川の流れに乗ってうちへくるならくるでいいさ。だが、沈《しず》んじまっても惜《お》しいってほどじゃねえ」そこで、さあこれから川へドボンだぞというように物入れをこころもち傾《かたむ》けました。

「やめろ！　やめてくれ！」中の堂守《どうもり》がどなりました。「その前におれをここから出せ」

「ひええ」小さいクラウスはわざと怖《こわ》がるふりをして、「まだいたのか？　だったら早いとこ投げこんで溺《おぼ》れさせなきゃ、こっちがやられちまう」

「おい、やめろやめろ、バカはよせ！」堂守《どうもり》が騒《さわ》ぎたてます。「ここから出してくれたら、銭《ぜに》をブッシェルますでひとつ分やるから」

「ほほう、そうなりゃ話は別《べつ》だ」小さいクラウスは物入れのふたを開けにかかりました。命からがら飛《と》び出《だ》した堂守《どうもり》は空の物入れを川に押《お》し落《お》とすと、あたふた家に戻《もど》って小さいクラウスにますいっぱいの銭《ぜに》を渡《わた》しました。あのご亭主《ていしゅ》からの一ブッシェルに堂守《どうもり》からの一ブッシェルで、荷車の上は銭《ぜに》の山だらけです。

「あの馬でずいぶん儲《もう》けたぞ」帰ってきて寝室《しんしつ》の床《ゆか》に銭《ぜに》の山を積《つ》み上《あ》げながら、「一頭きりの馬でこんなボロ儲《もう》けをしたと大きいクラウスにばれたら、やつめ、さぞ腹《はら》を立てるだろう。けど、どうやったかは絶対《ぜったい》教えてやるもんか」。それがすむと使い走りの子どもをやって、大きいクラウスのところからブッシェルますを借《か》りてこさせました。

「こんなに大きなますをどうするんだ？」大きいクラウスは不思議《ふしぎ》がり、量《はか》ったものがますの底《そこ》にいくらかくっつくようにタールを塗《ぬ》っておきました。返してもらったますには、やはり新品の銀貨《ぎんか》が三枚《まい》もくっついています。

「なんだこりゃ？」大きいクラウスは小さいクラウスのところへ駆《か》けつけ、「あんだけの銭《ぜに》をどこから手に入れたんだよ？」

「ああ、あれな。ゆうべ、あの馬の皮を売ってきた」

「おいおい！　馬の皮の相場がバカ上がりしたのかよ」大きいクラウスはさっそく駆《か》け戻《もど》って斧《おの》を出すと、持ち馬四頭とも頭を割《わ》ってしまいました。それから皮をはいで、町へ売りに出かけます。

「皮や、皮！　皮はいかが！」とんでもないドラ声で町中を売り歩きました。すると、靴屋《くつや》や革《かわ》なめし職人《しょくにん》がわらわらと寄《よ》ってきて値段《ねだん》を尋《たず》ねます。そのたびに、「皮一枚《まい》につき、ブッシェルますにひとつ分の銭《ぜに》です」と返事しました。

「気はたしかか、おまえ。こちとらにブッシェルますで量《はか》るほどの銭《ぜに》がうなってるふうに見えるか？」

「皮や、皮！　皮はいかが！」大きいクラウスはひたすら売り歩き、いくらだと聞《き》かれればこう答えました。「ブッシェルますにひとつ分の銭《ぜに》です」

「こいつ、おれらをおちょくってんのかよ」靴屋《くつや》は革《かわ》ひもを、革《かわ》なめし職人《しょくにん》は革《かわ》のエプロンを振《ふ》りかぶり、大きいクラウスを町中追い回してビシビシ打ちすえました。大きいクラウスの口まねをして、「皮や、皮！」などと嘲笑《あざわら》います。「とっとと町から出てけ。さもなきゃ、きさまの生皮をはいでなめしてやるぞ」大きいクラウスはほうほうのていで逃《に》げました。こんな目にあわされたのは生まれて初《はじ》めてです。

「小さいクラウスめ、今に見てろよ」戻《もど》るそうそう、「お返しにぶっ殺《ころ》してやる」

さて同じころ、小さいクラウスのおばあさんがたまたま寿命《じゅみょう》で亡《な》くなりました。生前はよくもここまでというほど根性《こんじょう》曲がりの意地悪ばあさんで、孫《まご》に優《やさ》しい言葉をかけたためしは一度もないのですが――それでもやっぱり死なれれば悲しくなります。小さいクラウスは万が一にも生き返ってくれないかなという気持ちで、おばあさんの亡骸《なきがら》を自分の暖《あたた》かいベッドに寝《ね》かせてやり、自分は昔よくやったように片隅《かたすみ》のいすでうたた寝《ね》したのです。

そうして夜になると戸が開き、斧《おの》を持った大きいクラウスが入ってきました。勝手知ったる他人の家で小さいクラウスの寝床《ねどこ》へ直行し、死んだおばあさんを小さいクラウスだと思いこんで、頭めがけて斧《おの》をふるいました。

「ざまあみろ」大きいクラウスは、「おまえにゃ、もう二度と騙《だま》されんからな」と捨《す》てゼリフを吐《は》いて自分のうちへ引《ひ》き揚《あ》げていきます。

「なんてやつだよ」小さいクラウスは言いました。「おれを殺《ころ》す気だった。ばあちゃんがとうに死んじまってて不幸《ふこう》中の幸いだったな。さもなきゃあいつに殺《ころ》されてたぞ」

小さいクラウスはおばあさんに晴れ着を着せ、近所から馬を借《か》りて荷馬車につなぐと、少しぐらいガタゴト揺《ゆ》れても倒《たお》れこまないように奥側《おくがわ》に座《すわ》らせました。そうしておいて、荷馬車で森を抜《ぬ》けていきます。

日の出には大きな宿屋のまん前にやってきました。そこで馬車を止め、中へ通って自分の朝食を注文します。宿屋のあるじは裕福《ゆうふく》で、決して悪い人ではないのですが、まるで全身が胡椒《こしょう》とかぎたばこの塊《かたまり》かというほど導火線《どうかせん》の短い雷《かみなり》おやじでした。

「おはようさん」と、小さいクラウスに声をかけ、「こんな早くから、やけにめかしこんでるじゃないか」

「ああ。ばあちゃんを町へ連《つ》れてってやるんだよ。おもてに止めた荷馬車の中で待ってる。おいそれと立ち歩けないんで、馬車まで蜂蜜酒《ミード》を一杯《ぱい》持ってってやってくれないか。うんと耳が遠いから、大声を出さなきゃ話が通じんだろうけど」

「今すぐ行くよ」あるじはグラスにたっぷり蜂蜜酒《ミード》を注ぐと、荷馬車の中でかちこちになったおばあさんに持ってってやりました。

「蜂蜜酒《ミード》を一杯《ぱい》やんな、あんたのお孫《まご》さんからだよ」と声をかけましたが、死人は返事も身動きもせずに座《すわ》っているだけです。

「聞こえんのか?」今度はあらん限《かぎ》りの声で、「そらっ、お孫《まご》さんから蜂蜜酒《ミード》だよ」そうやって何度どなろうが、おばあさんはぴくりともしません。カッとなったあるじはグラスをおばあさんの顔に投げつけます。おばあさんは頭から蜂蜜酒《ミード》まみれになって、あおむけに倒《たお》れてしまいました。だって、座席《ざせき》に固定《こてい》せずに置《お》いといただけですから。

「ちくしょうめ、何すんだよ!」小さいクラウスが玄関《げんかん》から飛《と》んできて、雷《かみなり》おやじの喉首《のどくび》をつかんで締《し》め上《あ》げます。「うちのばあちゃんを殺《ころ》したな。見ろ! おでこに大穴《おおあな》開けやがって」

「ああ、とんだことになった!」おやじは両手をもみしぼります。「それもこれも、おれがかんしゃくを起こしたばっかりに。なあ、小さいクラウスさん、あんたにはブッシェルますひとつ分の銭《ぜに》をあげよう。おばあさんもおれの祖母《そぼ》扱《あつか》いでちゃんとしたお葬式《そうしき》を出してやるよ。ただし、この件《けん》についてはくれぐれも他言無用《むよう》にな。でないとおれの首と胴体《どうたい》が泣《な》き別《わか》れだ——それだけは勘弁《かんべん》してくれよ」

そんなわけで小さいクラウスはブッシェルますで銭《ぜに》をもらい、おばあさんの葬式《そうしき》を宿屋のおやじにそっくり肩代《かたが》わりしてもらいました。

小さいクラウスはうちへ帰りつくなり、さっそくまた子どもをやって、大きいクラウスのブッシェルますを借《か》りてこさせました。

「小さいクラウスに言われて借《か》りにきただと？」大きいクラウスは聞き返しました。「やつはおれが始末《しまつ》したのに？　じかにこの目で確《たし》かめてやる」と、ますをつかんで小さいクラウスの家へ乗りこんできました。

「どこでそんなに儲《もう》けた？」すごい銭《ぜに》の山に、大きいクラウスはもうびっくりです。

「あんたが殺《ころ》したのはおれじゃなくて、ばあちゃんだったんだよ」小さいクラウスは教えてやりました。「ばあちゃんを売っぱらったら、ブッシェルますにひとつ分の銭《ぜに》になった」

「おいおい！　そいつはボロ儲《もう》けじゃないか」大きいクラウスはさっそく戻《もど》って自

分のおばあさんの頭を斧《おの》でぶっ叩《たた》き、荷馬車に乗せて町まで出かけると、薬局へ入っていって死体はいらんかねと売りこみました。

「死体ってだれのだよ。出どころは?」聞いたのは薬局のおやじです。

「だれのって、うちのばあちゃんさ。売れば一ブッシェルの銭《ぜに》になるからぶち殺《ころ》してきたよ」

「あんた、なんてことを」おやじに言われました。「絶対《ぜったい》どうかしてる。今のを聞かれでもしたら、すぐ死刑《しけい》になっちまうぞ」あとは、それがどんなにひどい悪事かもわからんか、この人でなし、どんな死にざまでも文句《もんく》は言えないねとビシビシやられました。さんざんやっつけられて大きいクラウスは震《ふる》えあがり、あたふた馬をせかして必死《ひっし》で逃《に》げ帰《かえ》ります。薬局のおやじや町の人たちはそれを見て、あのざまじゃきっと正気じゃなかろうなと、手出しせずに放っておきました。

「見てろ、このお返しはたっぷりしてやるぞ」街道《かいどう》まで逃《に》げのびた大きいクラウスは、「ただではおくもんか、小さいクラウスめ!」と、帰りつくなり家でいちばん大きい袋《ふくろ》を出してきて、すぐさま小さいクラウスの家へ向かいました。

「またしてもペテンにかけやがって。おれはきさまの口車にまんまと乗せられて、初《はじ》めに持ち馬四頭を、次にばあちゃんを殺《ころ》しちまった。何もかもおまえのせいだ。だがな、これからは死んでもだまされるもんか」と、小さいクラウスを捕《つか》まえてあの袋《ふくろ》にぶちこみ、肩《かた》にかつぐとこう言い放ちました。「さあてと、それじゃ、川に沈《しず》んでもらおうか」

川までは結構《けっこう》歩くので、おとなの男をかついでいくのは大変《たいへん》です。途中《とちゅう》の教会で、オルガンの伴奏《ばんそう》と美しい歌声が聞こえました。大きいクラウスは教会のすぐ外に小さいクラウスの袋《ふくろ》をおろしました。残《のこ》りの道中にかかる前に、讃美歌《さんびか》を聞かせてもらってひと息入れるのがいちばんだと思ったんですね。袋《ふくろ》は中から開けられないようにしっかり閉《し》めてありますし、助け出してもらおうにも教会の中にしか人はいません。ですから、大きいクラウスも心おきなく教会の中に入りました。

「あああ、なんてこった！」袋《ふくろ》の中の小さいクラウスはため息をつき、せいぜいもがいてみましたが、何をどうやっても袋《ふくろ》の口はほどけません。そこへ、白髪《しらが》頭の牛飼《うしか》いじいさんが杖《つえ》にすがって歩いてきました。群《む》れの牝牛《めうし》や牡牛《おうし》が小さいクラウスの袋《ふくろ》にぶつかり、横倒《よこだお》しにしてしまいます。

「まったくなあ」小さいクラウスはため息まじりに、「おいら、天国に行くにはまだ若《わか》いのに」

「わしなんか」じいさんが応《おう》じました。「この齢《よわい》でもまだこの世にほっとかれて、天国からのお召《め》しはいつになるやら」

「この袋《ふくろ》を開けてくれ！」小さいクラウスが声をかけます。「おれのかわりに入んなよ、そしたらすぐに天国へ行けるぜ」

「そいつは渡《わた》りに船だ」じいさんに袋《ふくろ》を開けてもらい、小さいクラウスはさっそく中から飛《と》び出《だ》しました。「牛どもは頼《たの》んだよ」じいさんはそう言《い》い残《のこ》して袋《ふくろ》に入りました。小さいクラウスはさっそく袋《ふくろ》を閉《し》め、牝牛《めうし》や牡牛《おうし》を残《のこ》らず連《つ》れて立ち去りました。

そのうちに大きいクラウスが教会から出てきて、袋《ふくろ》をかつぎ上げました。そしたら軽くなっています。じいさんの重さは小さいクラウスの半分もありませんから。

「いやあ、軽いわ。それもこれもありがたい讃美歌《さんびか》を聞いたおかげかねえ」と、あの森はずれの広くて深い川っぷちへ出ると、袋《ふくろ》ごとじいさんを放りこみました。

「ききまのペテンとも、もうこれっきりだ」小さいクラウスがドブンと沈《しず》んだのを見届《みとど》けたと思いこんで、そんなことを口にしたんですね。

その帰り、いくらも行かないうちに、十字路の辻《つじ》で牛の群《む》れを連《つ》れた小さいクラウスに出くわしました。

「おい、どっから化けて出やがった？」大きいクラウスは悲鳴を上げました。「今しがた、川に沈《しず》めただろ？」

「ああ、そうだよ」と、小さいクラウス。「おまえに川に放りこまれてから、三十分てとこか」

「で、そんなすごい牛の群《む》れをどうしたんだ？」大きいクラウスが詰《つ》め寄《よ》ります。

「ああ、こいつらは海牛だ」小さいクラウスは言いました。「おまえが放りこんでくれたおかげでね、お礼がわりにいきさつを教えてやるよ。今のおれは金持ちだ、どれほどあるかわからん。

「それでも袋《ふくろ》の中にいた時は冷《つめ》たい水に放り投げられてさ、風を切って落ちてく音がすごくてよう、いやあ怖《こわ》かった。まっすぐ川底《かわぞこ》に落ちたんだが、どこも痛《いた》くない。川底《かわぞこ》いちめん、ふかふかの草むらなんだ。そしたら袋《ふくろ》が開いて、きれいなねえちゃんが手を取って出してくれた。雪みたいなまっ白い服に、緑の草冠《くさかんむり》を長い髪《かみ》にかぶってたよ。で、こう言うんだ。「来てくれたのね、小さいクラウスさん。この牛の群《む》れをあげますけど、そんなのはほんの序《じょ》の口《くち》よ。ここから一マイル先にもっと別《べつ》の群《む》れを待たせてありますから」だと。

「そこで知ったんだがね、川ってのは海の人たちが行き来する大街道《だいかいどう》だそうだ。川のさきの海からじかに牛を追ってきた人たちが、あそこの川底《かわぞこ》を歩き回ってさ。川底《かわぞこ》の花はよく香《かお》るねえ。みずみずしい草むらには陸地《りくち》の小鳥よろしく魚が飛《と》び回《まわ》ってんだ。立派《りっぱ》そうな人ばっかで、道ばたで草を食べてる牛たちも逸品《いっぴん》ぞろいだったよ」

「だったら、どうしてそんなにすぐ帰ってきた？」大きいクラウスは尋《たず》ねました。

「おれだったら、そんなにいいところなら絶対《ぜったい》帰るもんか」

「まあな」と、小さいクラウス。「うんと利口《りこう》に立ち回ったまでさ。さっきの話で、海のねえちゃんに牛をやるから一マイル先へ行けって言われただろ。ねえちゃんが動けるのは川ん中だけだから、一マイル先ってのは川の長さだ。けどさ、川ってのは何しろ曲がりくねってるだろう、回り道もいいとこだ。だったら陸《りく》へあがって近道すりゃ半マイルは違《ちが》うし、それだけ早く牛も手に入るだろ」

「なんだよ、うまくやったなあ」大きいクラウスは言いました。「なあ、川底《かわぞこ》へ行けば、おれにも海牛をくれそうか？」

「ああ、そいつはたしかだ」小さいクラウスがうけあいます。「おまえを袋《ふくろ》に入れて川までかついで行けってのはやめてくれよな、重すぎて無理《むり》だ。ただし、自分の足で川っぷちまで出てから袋《ふくろ》に入るってんなら、それこそいくらでも投げこんでやるよ、任《まか》せといてくれ」

「助かるよ」大きいクラウスが言いました。「だがな、川底《かわぞこ》で海牛がもらえなかったら、今度こそ、ぎゅうという目にあわせてやるから覚悟《かくご》しとけ」

「そうかい」と、小さいクラウス。

そうしていざ川辺《かわべ》に出ると、喉《のど》の渇《かわ》いた牛たちがいちもくさんに飲みに行きました。すかさず小さいクラウスが、「ほらな、牛どもは川底《かわぞこ》に戻《もど》りたがって焦《あせ》ってるだろ」

「先にこっちを手伝《てつだ》え」大きいクラウスは命令《めいれい》口調で、「でないと今すぐぶちのめすぞ」牛の背《せ》に載《の》せてきた大きな袋《ふくろ》に入り、「石をひとつ詰《つ》めてくれ。沈《しず》まなかったら困《こま》る」

「大丈夫《だいじょうぶ》だよ」と、いちおう言いながらも小さいクラウスは大きな石を入れてやり、袋《ふくろ》をしっかり閉《と》じて川へと押《お》しやりました。

ドボン！　と大きいクラウスの袋《ふくろ》は川へ落ち、流れのままに川底《かわぞこ》へ沈《しず》んでいきました。

「ま、おれみたいなうまい汁《しる》にはとうていありつけないだろうけど！」と、小さいクラウスはうそぶき、自分の牛たちを連《つ》れて帰っていきました。

火打ち箱

ある兵隊《へいたい》が大通りを歩いてきました。イチ、ニ！　イチ、ニ！　背嚢《はいのう》を背負《せお》って、剣《けん》を腰《こし》に下げています。戦争《せんそう》から帰るところで、いまは家に向かっているのでした。しばらく行くと、魔法使《まほうつか》いのおばあさんに出会いました。恐《おそ》ろしいほど醜《みにく》いおばあさんで、下唇《したくちびる》が胸《むね》のあたりまで垂《た》れています。

「こんばんは、兵隊《へいたい》さん！」おばあさんが言いました。「なんとも立派《りっぱ》な剣《けん》と、大きな背嚢《はいのう》をお持ちだね！　こりゃあ、本物の兵隊《へいたい》さんだよ！　じゃあね、あんたに、ほしいだけたくさんのお金をあげるとしよう」

「ありがとう、魔法使《まほうつか》いのおばあさん」と兵隊《へいたい》は答えました。

「あそこの大きな木が見えるだろう？」魔法使《まほうつか》いはさほど遠くないところにある木を指さしました。「あのなかはがらんどうなんだよ！　てっぺんまで登ってみりゃ、穴《あな》が見えるからね。そこを通って下りていくと、木の奥深《おくふか》くまで行けるんだ。あんたの腰《こし》に綱《つな》を結《むす》んでおいて、あんたが呼《よ》んだら引《ひ》っ張《ぱ》り上《あ》げてやるよ」

「木の下のほうで、何をすりゃいいんだい？」兵隊《へいたい》は尋《たず》ねました。

「お金を持ってくるんだよ！」と魔法使《まほうつか》いは言いました。「いいかい、木の底《そこ》に行くと、大きな広間があってね、ものすごく明るいんだ。なにせ、そこには百個以上《こいじょう》のランプがあかあかと燃《も》えているんだから。で、扉《とびら》が三つあるから、あんたはそれをあけるんだよ。鍵《かぎ》はね、鍵穴《かぎあな》にささってる。

最初《さいしょ》の部屋に入ると、床《ゆか》の真ん中に大きな木の箱があって、その上に犬が一匹座《ぴきすわ》っていてね、その目ときたら、紅茶《こうちゃ》のお皿ぐらいあるんだ。でも、心配なんか、ありゃしない！ この青い格子《こうし》柄《がら》のエプロンをあげるから、これを床《ゆか》に広げりゃいい。そうしたら、さっと近づいて犬を捕《つか》まえ、このエプロンの上に置《お》いたあと、箱をあけて、お金をほしいだけたくさん持っておいで。それはみんな銅貨《どうか》だけどね。

銀貨《ぎんか》のほうがよければ、二番めの部屋に入らなきゃならないよ。そこには、目が水車ぐらい大きな犬がいるけど、怖《こわ》がることなんか、ありゃしない。その犬をあたしのエプロンにのせて、ポケットに銀貨《ぎんか》を詰《つ》めこめばいい。

だけど、もし金貨《きんか》がほしかったら、それも手に入るよ。持ってこれるだけ、どっさりとね。三番めの部屋に入ればいいんだから。でも、そこの箱の上に座《すわ》っている犬の目は、コペンハーゲンの円塔《えんとう》ぐらいもあるよ。なんて犬なんだろうね、まったく。だけど、縮《ちぢ》み上《あ》がることはないよ。あたしのエプロンの上に置《お》きさえすりゃ、おとなしくしてるから、箱から好《す》きなだけ金貨《きんか》を取れるってもんさ」

「そりゃ、悪くないね」と兵隊《へいたい》は言いました。「だけど、そのお返しに、おれはあんたに何をやったらいいいんだい？　だって、ただでこんなによくしてくれるはずは、ないんだから」

「まあね」と魔法使《まほうつか》いは答えました。「お金なら一ペニーだっていらないよ。ただ、古い火打ち箱を持って来てもらいたいんだ。あたしのばあさんがそこへ下りていったとき、忘《わす》れてきちゃってさ」

「へえ、それなら、おれの腰《こし》に綱《つな》をゆわえてくれよ」と兵隊《へいたい》は言いました。

「さあ、これでいい」と魔法使《まほうつか》いは言いました。「あと、これがあたしの青い格子柄《こうしがら》のエプロンだよ」

そして、兵隊《へいたい》は木によじ登り、綱《つな》につかまって下りました。魔法使《まほうつか》いが言ったとおり、そこには大きな広間があって、何百ものランプが燃《も》えています。

兵隊《へいたい》は最初《さいしょ》の扉《とびら》をあけました。うわあ！　そこには犬が座《すわ》っていて、紅茶《こうちゃ》のお皿ぐらいの大きな目で兵隊《へいたい》をぎろっと見つめました。

「よしよし、いい子だ」と兵隊《へいたい》は言って、魔法使《まほうつか》いのエプロンの上に犬を置《お》き、ポケットに入るだけたくさんの銅貨《どうか》を取りました。それから、箱を閉《し》めて、その上に犬をのせると、二番めの部屋へ行きました。うひゃあ！ そこには犬がいて、水車ぐらいの大きな目をしていました。

「そんなに、にらむなよ」と兵隊《へいたい》は言いました。「目が痛《いた》くなるぞ」そして、犬を魔法使《まほうつか》いのエプロンにのせました。箱のなかの銀貨《ぎんか》を見ると、兵隊《へいたい》は取っていた銅貨《どうか》をみんな放り出して、ポケットも背嚢《はいのう》も銀貨《ぎんか》でいっぱいにしました。それから、三番めの部屋へ入りました。ぎょっとするではありませんか！ そこにいる犬は、本当に円《えん》塔《とう》ぐらいもある大きな目をしていたのです。おまけに、それが顔のなかで車輪《しやりん》みたいにぐるぐるまわっています。

「こんばんは」と兵隊《へいたい》は挨拶《あいさつ》をして、帽子《ぼうし》に手をやりました。これまで、そんな犬は見たこともなかったからです。しばらく眺《なが》めたあとで、「もういいや」と思ったので、犬をエプロンの上に下ろして、箱をあけました。どひゃあ！ なんてたくさんの金貨《きんか》があるのでしょう！ こんなにあれば、コペンハーゲン全部と、ケーキ屋のおばさんが作る豚《ぶた》の砂糖菓子《さとうがし》を全部買えるでしょう。おまけに、世界じゅうの錫《すず》の兵隊《へいたい》も、鞭《むち》も、揺《ゆ》り木馬だって買えそうです。そう、それほど金貨《きんか》がどっさりあったのですよ、嘘《うそ》じゃありません！　さっそく、兵隊《へいたい》はポケットと背嚢《はいのう》にぎっしり詰《つ》めていた銀貨《ぎんか》をみんな放り出して、その代わりに金貨《きんか》を入れました。ポケットや背嚢《はいのう》にはもちろん、帽子《ぼうし》や長靴《ながぐつ》にもぎゅうぎゅうに詰《つ》めこんだので、歩くのがやっとというありさまです。

これで本当にお金がたんまり手に入ったというわけでした。

兵隊《へいたい》は犬を箱の上に戻《もど》して、扉《とびら》を閉《し》め、木の上へ呼《よ》びかけました。

「さあ、引《ひ》っ張《ぱ》り上《あ》げておくれよ、魔法使《まほうつか》いのおばあさん」

「火打ち箱は見つかったかい？」魔法使《まほうつか》いのおばあさんが聞きました。

「あっ、いけない」と兵隊《へいたい》は言いました。「うっかり忘《わす》れてたよ」

兵隊《へいたい》が戻《もど》ってそれを取ってくると、魔法使《まほうつか》いのおばあさんが兵隊《へいたい》を引《ひ》っ張《ぱ》り上《あ》げ、まもなく兵隊《へいたい》は大通りに戻《もど》りました。ポケットも、長靴《ながぐつ》も、背嚢《はいのう》も、帽子《ぼうし》も、金貨《きんか》でいっぱいにしてね。

「この火打ち箱をどうするつもりなんだい？」兵士《へいし》は尋《たず》ねました。

「あんたの知ったこっちゃないよ」と魔法使《まほうつか》いが答えました。「あんたはお金を手に入れただろ。その火打ち箱をお寄《よ》こし」

「どうのこうの言うな！」と兵隊《へいたい》は言いました。「これをどうするつもりなのか、さっさと教えろ。でないと、この剣《けん》を抜《ぬ》いて、おまえの首を切り落とすぞ！」

「いやだね」と魔法使《まほうつか》いは答えました。

するると、兵隊《へいたい》は魔法使《まほうつか》いの首をちょん切ってしまったのです。魔法使《まほうつか》いのおばあさんは、その場に倒《たお》れました！　そのあと、兵隊《へいたい》は金貨《きんか》を全部おばあさんのエプロンにくるんで、荷物のように肩《かた》にかけると、火打ち箱をポケットに入れ、ただちに町を目ざして歩いていきました。

それは立派《りっぱ》な町でした。兵隊《へいたい》は一番いい宿屋に入って、一番いい部屋と大好《だいす》きなごちそうを頼《たの》みました。いまはお金持ちで、金貨《きんか》をどっさり持っていたのですからね。兵隊《へいたい》の長靴《ながぐつ》を磨《みが》かなければならなかった宿屋の使用人は、あんなにお金持ちの紳士《しんし》のわりには、ずいぶんみすぼらしくて古い長靴《ながぐつ》だなあと思ったのですが、まだ新しい靴《くつ》を買っていなかったからです。けれど、次の日、上等の長靴《ながぐつ》ときちんとした服を買いました。これで、兵隊《へいたい》は立派《りっぱ》な紳士《しんし》になりました。そうなると、みんなが町の素晴《すば》らしい話をあれこれ聞かせました。王さまのことや、その娘《むすめ》がどれほど美しいお姫《ひめ》さまであるかなどをね。

「そのお姫《ひめ》さまには、どこでお目にかかれるんです？」と兵隊《へいたい》は聞きました。

「お目にかかることなんて、絶対《ぜったい》に無理《むり》ですよ」みんなは口をそろえて言いました。

「お姫《ひめ》さまはたくさんの塔《とう》がある、頑丈《がんじょう》な銅《どう》のお城《しろ》に住んでいらして、そこは高い壁《かべ》

Arthur Rackham

で囲《かこ》まれているのですから！　王さまのほかは、だれもそこに出入りできません。というのも、予言によると、お姫《ひめ》さまはただの一兵卒《いっぺいそつ》と結婚《けっこん》するだろうということで、王さまはそれをお認《みと》めにならないからですよ！」

「どうしてもお姫《ひめ》さまを見たいなあ」と兵隊《へいたい》は考えましたが、そんなお許《ゆる》しをもらえるはずはありません。

兵隊《へいたい》は毎日を楽しくすごすようになりました。芝居《しばい》を見にいったり、王宮公園へ馬車で行ったりしました。貧《まず》しい人たちにお金を気前よくあげたりもしました。これはとても良《よ》いことです。兵隊《へいたい》はこれまでの生活から、お金が一ペニーもないことがどんなものか、よくわかっていたからなんですよ。いまや、兵隊《へいたい》はお金持ちで、立派《りっぱ》な服を着ていて、まもなく友だちが大勢《おおぜい》できました。友だちはみんな、あなたは素晴《すば》らしい人で本物の紳士《しんし》だと言ってくれます。兵隊《へいたい》はそんなふうに褒《ほ》められて、大満足《だいまんぞく》でした。

ところが、来る日も来る日もたっぷりお金が出ていくばかりで、まったく入ってこないので、しばらくすると、残《のこ》りがたった銅貨《どうか》二枚《まい》だけになってしまったのです。そのため、これまでの素晴《すば》らしい部屋をあきらめて、家のてっぺんの小さな屋根裏《やねうら》部屋に住まなければならず、自分で長靴《ながぐつ》を磨《みが》いたり、服をかがり針《ばり》でつくろったりするしかなくなりました。おまけに、それまで友だちだった人も、ぴたりと来なくなりました。だって、階段《かいだん》をたくさんのぼらなければならないんですからね。

ある暗い晩《ばん》、ロウソク一本すら買えなかったとき、火打ち箱のなかに、ちびたロウソクが入っていたことを思い出しました。ほら、魔法使《まほうつか》いのおばあさんの手を借《か》りて、空洞《くうどう》になっている木のなかから持ってきた、火打ち箱ですよ。兵隊《へいたい》は火打ち箱からちびたロウソクを出しました。すると、火打ち石をカチッと打って、パッと火花が散《ち》ったとたん、扉《とびら》がパタンと開いて、あの木の下で見た、紅茶《こうちゃ》のお皿ぐらい大きな目をした犬が目の前に立ち、こう尋《たず》ねたのです。

「ご主人さま、お望《のぞ》みは何でしょうか？」

「なんだ、こりゃ」と兵隊《へいたい》は言いました。「望《のぞ》んだものがなんでも手に入るとしたら、素晴《すば》らしい火打ち箱だな。金をちょっと持ってきてくれ」兵隊《へいたい》は犬にそう言いました。犬は稲妻《いなずま》のように飛《と》んでいきましたが、まもなく戻《もど》ってきました。銅貨《どうか》でいっぱいの大きな袋《ふくろ》を口にくわえています。

こんなわけで、兵隊《へいたい》は自分がどれほど素晴《すば》らしい火打ち箱を持っているのか、わかりました。一度打つと、銅貨《どうか》が入っている箱に座《すわ》っていた犬がやってきます。二度打つと、銀貨《ぎんか》の番犬が来ます。三度打つと、金貨《きんか》の入っている箱に座《すわ》っていた犬が姿《すがた》を現《あらわ》すのです。そこで、兵隊《へいたい》はまた素晴《すば》らしい部屋に戻《もど》り、また立派《りっぱ》な服を着ました。以前《いぜん》の友だちもみんなまた戻《もど》ってきて、ご機嫌《きげん》を取ったりするのでした。

ある日、兵隊《へいたい》はこんなふうに思いました。「だれもお姫《ひめ》さまを見られないなんて、おかしなことがあるもんか！　みんな口をそろえて、とてもきれいだと言ってるけど、たくさんの塔《とう》がある大きな銅《どう》のお城《しろ》にいつまでもいなくちゃならないなんて、もったいないじゃないか？　なんとかお姫《ひめ》さまを見られないものかなあ。そうそう、火打ち箱はどこだ？」そこで、兵隊《へいたい》が石を打って火花を出すと、紅茶《こうちゃ》のお皿ぐらいの大きな目をした犬が、たちまち目の前に立ちました。

「真夜中だってことは、わかってるんだけど」と兵隊《へいたい》は言いました。「ほんのちょっとでいいから、お姫《ひめ》さまを見たくてたまらないんだ」

犬は素早《すばや》く部屋を飛《と》び出《だ》したかと思うと、間髪《かんはつ》を容《い》れずにお姫《ひめ》さまを連《つ》れて戻《もど》ってきました。お姫《ひめ》さまは犬の背中《せなか》でぐっすり眠《ねむ》っていたのですが、美しいことといったら、だれもがひと目で本当のお姫《ひめ》さまだとわかるほどでした。兵隊《へいたい》はたまらなくなって、思わずキスをしてしまいました。だって、自分だって本当の兵隊《へいたい》なんですからね。

そのあと、犬はお姫《ひめ》さまをのせて駆《か》け戻《もど》りました。

けれど、あくる朝、王さまとお妃《きさき》さまが紅茶《こうちゃ》を飲んでいるとき、お姫《ひめ》さまが昨夜《さくや》見た変《へん》な夢《ゆめ》の話をしました。犬と兵隊《へいたい》の夢《ゆめ》で、自分は犬の背《せ》に乗っていって、兵隊《へいたい》にキスをされたというのです。

「まあ、すてきなお話ね」とお妃《きさき》さまは言いました。

そこで、次の夜、年を取った女官《にょかん》のひとりが、お姫《ひめ》さまのベッドのそばで番をして、それが本当に夢《ゆめ》だったのか、それとも何か起こったのか、確《たし》かめることになったのです。

兵隊《へいたい》はまたお姫《ひめ》さまを見たくてたまらなくなったので、夜になると、また犬を使いにやりました。犬は全速力で出かけ、お姫《ひめ》さまを連《つ》れて戻《もど》ってきました。ところが、年を取った女官《にょかん》が雨靴《あまぐつ》をはいて、同じくらい速く走ってそのあとを追いかけたのです。犬とお姫《ひめ》さまが大きな家のなかに消えたのを見ると、女官《にょかん》は白いチョークを取り出し、大きな十字を扉《とびら》に書いて、こう思いました。「こうすれば、また来たとき、この家がわかるわ」そして、お城《しろ》へ帰って寝《ね》ました。犬はまもなくお姫《ひめ》さまをお城《しろ》に戻《もど》したのですが、兵隊《へいたい》の住んでいる家に白い十字が書かれているのを見て、自分もチョークを取り出し、町の扉《とびら》という扉《とびら》に十字を書きました。たいそう賢《かしこ》い犬ですよね。どの扉《とびら》にも十字が書かれていては、女官《にょかん》だって目当ての扉《とびら》が見つけられないのですから。

あくる朝早く、王さまと、お妃《きさき》さまと、女官《にょかん》と、お城《しろ》の大臣《だいじん》全員が、お姫《ひめ》さまのいたところを見にいきました。

「ここだな」王さまが、白い十字の書いてある最初《さいしょ》の扉《とびら》を見て言いました。

「いいえ、あちらですわ、あなた」お妃《きさき》さまが、白い十字の書いてある二番めの扉《とびら》を見て言いました。

「いやいや、あそこにも、ここにもありますよ」みんなが言いました。どこを見ても、扉《とびら》に白い十字が書いてあるのです。まもなく、いくら探《さが》しても無駄《むだ》だとわかったのでした。

けれど、お妃《きさき》さまはとても賢《かしこ》い方で、馬車に乗るだけでなく、ほかのこともできたのです。大きな金のハサミを使って、大きな絹《きぬ》の布《ぬの》を四角に切り、すてきな小さい袋《ふくろ》を作りました。そして、そば粉《こ》の細かいひき割《わ》りを詰《つ》めると、それをお姫《ひめ》さまの背中《せなか》に結《むす》びつけ、小さな穴《あな》をあけました。お姫《ひめ》さまが連《つ》れていかれる道々、そば粉《こ》がこぼれるようにしたのです。

夜になると、犬がまたやってきて、お姫《ひめ》さまを背中《せなか》に乗せ、兵隊《へいたい》のところへ走りました。兵隊《へいたい》はすっかりお姫《ひめ》さまを好《す》きになっていて、もし自分が王子で、お姫《ひめ》さまと結婚《けっこん》できたら、どんなにいいだろうと思いました。

犬はお城《しろ》から兵隊《へいたい》の家の窓《まど》までずっと粉《こな》がこぼれていることに気づかず、お姫《ひめ》さまを連れて壁をのぼりました。あくる朝、王さまとお妃さまは、娘がどこへ連れていかれたか、はっきりとわかったので、兵隊《へいたい》はすぐに捕《つか》まって牢屋《ろうや》へ放りこまれてしまいました。

兵隊《へいたい》は牢屋《ろうや》に座《すわ》っていました。ああ、なんて暗くて、わびしいところなのでしょう！　兵隊《へいたい》は、「おまえは明日、しばり首になるんだぞ」と言われました。そんなことを聞くなんて、うれしくはありません。それに、なんとも残念《ざんねん》なことに、火打ち箱は宿屋に置《お》いたままでした。

朝になると、鉄格子《てつごうし》のあいだから、兵隊《へいたい》がしばり首になるのを見物しようとする人たちが町の外へ急ぐ姿《すがた》が見えました。太鼓《たいこ》の音が聞こえ、兵士《へいし》たちの一団《いちだん》が行進していきます。町じゅう総出《そうで》といった具合で、そのなかに、革《かわ》のエプロンをしてスリッパをはいた靴屋《くつや》の小僧《こぞう》さんがいました。あわてて走るものだから、片方《かたほう》のスリッパが脱《ぬ》げ、鉄格子《てつごうし》がはまっている窓《まど》の下あたりの壁《かべ》に飛《と》ばしてしまいました。ちょうどその窓《まど》の向こうに、兵隊《へいたい》は座《すわ》っていたのです。

「おいおい！　靴屋《くつや》の小僧《こぞう》さん！　そんなに急がなくても大丈夫《だいじょうぶ》だよ！」兵隊《へいたい》は大声で言いました。「おれが行かなきゃ、何も始まらないんだから。それより、おれが住んでたところへひとっ走りして、おれの火打ち箱を持ってきてくれたら、銅貨《どうか》四枚《まい》やるよ！　ただし、とにかく大急ぎじゃなくちゃだめだぞ！」

小僧《こぞう》さんはお金がほしくて仕方なかったので、火打ち箱を取りにいって、兵隊《へいたい》に渡《わた》しました。さあ、それからどうなったか、見てみるとしましょう。

町の外には、高い絞首台《こうしゅだい》が立ててありました。そのまわりには、兵士《へいし》たちと、何千人もの人々が立っています。王さまとお妃《きさき》さまは、裁判官《さいばんかん》や顧問官《こもんかん》たちの向かいにある見事な玉座《ぎょくざ》についていました。

兵隊《へいたい》はすでにはしごの一番上に立っていたのですが、ちょうど首に縄《なわ》をかけられるとき、こう言ったのです。「かわいそうな罪人《ざいにん》が死刑《しけい》になる前には、最後《さいご》のささやかな願《ねが》いをひとつかなえてやるのが習慣《しゅうかん》ですよね。煙草《たばこ》を一服させてもらえると、たいへんありがたいんですが。それが、この世で吸《す》う最後《さいご》の煙草《たばこ》になるでしょう」と。

王さまはその願《ねが》いをはねつけるわけにはいかなかったので、兵隊《へいたい》は火打ち箱を取り出して、火を打ち出しました。「カチッ、カチカチッ、カチカチカチカチッ」すると、たちまち、犬が三匹《びき》とも現《あらわ》れたのです。一匹《ぴき》めは、紅茶《こうちゃ》のお皿ぐらい大きな目をした犬。二匹《ひき》めは、水車ぐらい大きな目をした犬、三匹《びき》めは、円塔《えんとう》ぐらい大きな目をした犬です。

「さあ、おれを助けてくれ。しばり首になりそうなんだ！」と兵隊《へいたい》は言いました。

すると、犬はいっせいに裁判官《さいばんかん》や顧問官《こもんかん》たちに飛《と》びかかり、脚《あし》やら鼻やらをくわえて、空のかなたへと放り上げたので、みんなは下へ落ちてばらばらに砕《くだ》けてしまいました。

「やめてくれ！」と王さまは言いましたが、一番大きい犬が王さまとお妃《きさき》さまをくわえると、みんなのあとから放り投げました。

さあ、兵隊《へいたい》は怖《こわ》くなってしまいましたが、人々が高らかに叫《さけ》びました。「兵隊《へいたい》さん、あなたがわたしたちの王さまです。美しいお姫《ひめ》さまと結婚《けっこん》してください！」

そして、みんなは兵隊《へいたい》を王さまの馬車に乗せ、三匹《びき》の犬たちはその前で踊《おど》りながら、「万歳《ばんざい》！」と叫《さけ》びました。男の子たちは指笛を吹《ふ》き、兵士《へいし》たちはささげ銃《つつ》をしました。お姫《ひめ》さまは銅《どう》のお城《しろ》から出て、お妃《きさき》になり、そのことにたいへん喜《よろこ》びました。

結婚式《けっこんしき》のお祝《いわ》いは一週間も続《つづ》き、犬たちはお祝《いわ》いの席《せき》について、その目をいっそう大きく見張《みは》っていたということです。

じつは「アンデルセン」じゃない

ノール：「アンデルセンさん」か。デンマークの人はそう呼《よ》ばないけど。

ニッセ：ほんとは「アナセン」や「アナスン」に近いね。アンデルセンはドイツ語風の呼《よ》びかただよ。

ノール：うん、でもデンマーク語は日本語とだいぶ音が違《ちが》うからねえ。日本のみんなにはアンデルセンの名でおなじみなんでしょ？

ニッセ：そういえばイソップさんも英語《えいご》読みだね。ただしイソップさんは本名がわからないけど、アンデルセンさんはいちおう

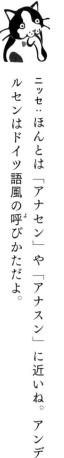

本名だよ。イソップさんのことは、『夜ふけに読みたい　はじまりのイソップ物語』の猫《ねこ》たちに聞いてね。

ノール：アンデルセンさんはそこまで大昔の人じゃないから、名前も残《のこ》ってるんだよ。

ニッセ：日本でいうと江戸時代の終わりから明治《めいじ》時代にかけての人だね。ドイツのグリム兄弟とも付《つ》き合《あ》いがあったんだ。

親指《おやゆび》っ子ちゃん

むかしむかし、かわいい子どもがほしくてたまらない女がいましたが、見つけるあてがありません。そこで年寄《としよ》り魔女《まじょ》を訪《たず》ねていって、お伺《うかが》いを立てました。

「なんとしてもかわいい赤ちゃんがほしいんです。お願《ねが》いです、見つけるあてを教えてもらえませんか」

「いいとも、おやすいご用だよ」魔女《まじょ》は答えて、「ほら、大麦を一粒《つぶ》あげよう。ただし、こいつは農家が畑で育てたり、ニワトリのえさに撒《ま》いてやったりするようなそこらの大麦とは、ものが違《ちが》うんだからね。植木鉢《うえきばち》に撒《ま》いて様子を見てればそのうちわかるよ」

「ああ、ありがとうございます！」女はお礼を言うと、一シリングを魔女《まじょ》に渡《わた》して家へ帰るや、あの麦粒《むぎつぶ》を植えました。種《たね》はまたたくまに芽吹《めぶ》いて大きくなり、大きなチューリップそっくりのみごとな花をつけました。ただし、花のつぼみは固《かた》く閉《と》じたままです。

「きれいな花ねえ」などと言いながら、赤と黄の美しい花に女は唇《くちびる》をつけました。とたんにぽん！　と大きな音をたててつぼみが開きました。花はやはりチューリップでしたが、花の中央で緑のクッションに小さな女の子が座《すわ》っています。見るからに可《か》憐《れん》な美人さんですが、親指《おやゆび》ほどの大きさしかありません。ですから親指《おやゆび》っ子ちゃんという呼《よ》び名《な》をもらいました。

親指《おやゆび》っ子ちゃんは、ぴかぴかに磨《みが》き上《あ》げたクルミの殻《から》のゆりかごをもらいました。スミレの青い花びらをマットレスがわりに敷《し》いてもらい、バラの花びらを掛《か》けぶとんにしました。そして、夜はそこで眠《ねむ》り、昼間はテーブルの上で、お母さんが花輪《はなわ》で囲《かこ》ってくれたお皿の中で遊びます。花輪《はなわ》の茎《くき》が浸《ひた》るぐらいの水をお皿に張《は》っておいて、チューリップの大きな花びらを水に浮《う》かべるのです。親指《おやゆび》っ子ちゃんはこの花びらボートに乗り、白馬の毛二本を一対《つい》のオールに見立てて端《はし》から端《はし》までこいでいきます――かわいいですねえ。歌だって歌えるし、聞いたこともないような柔《やわ》らかい美声に恵《めぐ》まれていました。

ある晩《ばん》、親指《おやゆび》っ子ちゃんがゆりかごで寝《ね》ていますと、醜《みにく》いヒキガエルが窓《まど》から飛《と》びこんできました――窓《まど》ガラスの一枚《まい》が割《わ》れていたのです。このぬらぬらした大きなヒキガエルはさらにテーブルに飛《と》び移《うつ》ってきて、赤いバラの花びらをかけて眠《ねむ》る親指《おやゆび》っ子ちゃんに目をつけました。

「おーや、うちの子の嫁《よめ》にうってつけじゃないの！」ヒキガエルは歓声《かんせい》を上げ、寝《ね》ている親指《おやゆび》っ子ちゃんをクルミのからごと持ち上げて、窓《まど》ガラスの割《わ》れ目《め》から庭へ出ました。ここの庭をゆったりと流れる大きな川のほとりは沼地《ぬまち》で、このヒキガエルが息子《むすこ》と住みついていたのです。うへえと言ってしまいそうなほど、母親そっくりのじとっとした気持ち悪い息子《むすこ》でした。「げえろげろげろ、ぐえっぐえっぐえっ」クルミのからに入ったかわいい子を見ても、そんなセリフしか出てこないんですからね。

「そんな大きな声を出すんじゃないよ。目を覚《さ》まされたら困《こま》るだろ」と、ヒキガエルかあさんがたしなめます。「まだまだ逃《に》げださんとも限《かぎ》らんぞ、なにしろ白鳥の綿《わた》毛《げ》みたいに身が軽い子なんだ。川ん中にある大きなスイレンの葉にでも乗せとかんとな。軽くてちっぽけなこの子にゃ、島みたいなもんだろ。そうして逃《に》げられなくして

おいて、その間にあんたとあたしで、泥《どろ》の下にせいぜいすてきな新居《しんきょ》をこしらえよう
じゃないか」
川の中ほどには、大きな緑のスイレンの葉が水面に浮《う》かべたように茂《しげ》っていました。
岸からいちばん遠くの端《はし》にあるのがとりわけ大きな葉です。ヒキガエルかあさんはそ
の葉へ泳いでいくと、クルミのからごと親指《おやゆび》っ子ちゃんを置《お》いてきました。
あくる朝そうそうに起きた小さい親指《おやゆび》っ子ちゃんは、自分のいどころがわかると大《おお》
泣《な》きしました。大きな緑の葉の先には水しかなく、自力で岸にたどりつくのは無理《むり》で
す。ヒキガエルかあさんは泥《どろ》に座《すわ》りこんで、嫁《よめ》のご機嫌《きげん》を取るために緑のアシや黄色
いスイレンの花で部屋を飾《かざ》りつけていました。やがて不細工《ぶさいく》な息子《むすこ》といっしょに親指《おやゆび》
っ子ちゃんの葉まで泳いできました。お先にかわいらしい寝床《ねどこ》を運びこみ、その上で
花嫁《はなよめ》を初夜《しょや》の寝室《しんしつ》にお連《つ》れしようというわけです。
ヒキガエルかあさんは、水中で丁寧《ていねい》におじぎしました。
「うちの息子《むすこ》ですの。じきにあなたのお婿《むこ》さんになりまして、泥《どろ》の中のすてきな新《しん》
居《きょ》でともに暮《く》らしてもらいますよ」
「げえろげろげろ、ぐえっぐえっぐえっ」息子《むすこ》の方はこれしか言えません。
あいさつがすむと、ヒキガエルの親子はかわいい小さな寝床《ねどこ》を持ってさっさと泳い

でいきました。緑の葉にひとり残《のこ》された親指《おやゆび》っ子ちゃんは泣《な》きの涙《なみだ》です。あんな不気《ぶき》味《み》なヒキガエルの家に住むのも、あんなおぞましい息子《むすこ》を婿《むこ》にするのもいやです。水中を泳ぐ小魚たちはヒキガエルを見かけましたし、さっきの話も聞きましたので、どんな子か見てみようと、てんでに水面に出てきました。そしたらあんまり可憐《かれん》な子で、見たとたんに気《き》の毒《どく》でなりません。あんなおぞましいヒキガエルの嫁《よめ》にさせられて、泥《どろ》の下で暮《く》らすなんて。そんなの絶対《ぜったい》だめだよ！　小魚たちは葉の茎《くき》に群《む》がり、茎《くき》を嚙《か》みちぎってしまいました。親指《おやゆび》っ子ちゃんも葉といっしょに流されてゆき、ヒキガエルでは追いつけないほど遠くへ行ってしまいました。

親指《おやゆび》っ子ちゃんは流れのままにさまざまな場所を通《とお》り過《す》ぎ、茂《しげ》みで遊んでいた小鳥たちには「あらあら、かわいこちゃんがいるよ」と見るなり歌われました。親指《おやゆび》っ子ちゃんを乗せた葉はなおも遠くへ流れ流れてゆきました。

きれいな白い蝶《ちょう》が、親指《おやゆび》っ子ちゃんにずっとまとわりつくように飛《と》んでいましたが、ついにずっと見ていたくて葉の上に止まりました。もうあのヒキガエルに捕《つか》まる心配がなくなり、親指《おやゆび》っ子ちゃんも持ち前の明るさを取《と》り戻《もど》しました。流れて行く場所は、どこもきれいで、日の光が水に反射《はんしゃ》して金のようにきらめきます。親指《おやゆび》っ子ちゃんは、リボンの飾《かざ》り帯《おび》をほどいて蝶《ちょう》とスイレンの葉に片端《かたはし》ずつ結《むす》びつけました。今度は葉も、当然《とうぜん》ながら葉の上の親指《おやゆび》っ子ちゃんも、すごい速さで進み始めました。

ちょうどそこへ大きなコガネムシが飛《と》んでくると、親指《おやゆび》っ子ちゃんに目をつけて、あっという間に細い胴《どう》をつかんで森へ逃《に》げました。緑の葉はおかまいなしでどんどん流れくだっていきます。蝶々《ちょうちょう》もです。葉に結《むす》ばれていて逃《に》げられないのです。

ああ、どうしましょう！　コガネムシに木の上へ連《つ》れ去《さ》られた親指《おやゆび》っ子ちゃんは、かわいそうにどれほど驚《おどろ》いたことか。ですが、葉に結《むす》んでしまったあのきれいな白い蝶《ちょう》を思いやると、さらに悲しくなります。あの葉からうまく離《はな》れられなければ、弱って死んでしまいます。それなのにコガネムシは知らん顔で、その木でいちばん大きな青葉に親指《おやゆび》っ子ちゃんを座《すわ》らせてから、花の蜜《みつ》を集めてきて食べさせ、「きみはコガネムシには似《に》ても似《に》つかないが、ずいぶんかわいいね」と言いました。しばらくして、その木のコガネムシたちが集まってきて親指《おやゆび》っ子ちゃんをじろじろ見ていましたが、そのうちにコガネムシの奥《おく》さんが触角《しょっかく》をすくめました。

「ねえ、この子ったら脚《あし》がたったの二本だけよ――みじめなもんねえ！」

「触角《しょっかく》もないわよ」だれかが言いました。

「あの胴《どう》のくびれ方が恥《は》ずかしいじゃない！　人間ぽくて、みっともないったら！」

などと、コガネムシの女性陣《じょせいじん》がそろってけなします。

そう言われても、親指《おやゆび》っ子ちゃんはずっときれいな子でした。親指《おやゆび》っ子ちゃんをさらってきたコガネムシもそう思ったのですが、ほかの同族がみんなで寄《よ》ってたかってみっともないと連呼《れんこ》するものですから、とうとうそっちが正しいと思いこんで縁《えん》を切りたくなりました——どこでも好《す》きなところへ行っちまえ。コガネムシたちは親指《おやゆび》っ子ちゃんを抱《かか》えて下へ飛《と》んでゆき、ヒナギクの上に捨《す》てました。親指《おやゆび》っ子ちゃんは花の上に座《すわ》りこみ、自分はコガネムシに邪険《じゃけん》にされるほどみっともないのかと泣《な》いてしまいました。

でもね、この子は考えられる限《かぎ》りでいちばんの美少女で、バラの花びらのように傷《きず》つきやすく繊細《せんさい》な心根の持ち主だったのです。

捨《す》てられた親指《おやゆび》っ子ちゃんは、大きな森の中で夏中ひとりぼっちでした。草でハンモックの寝床《ねどこ》を編《あ》んで大きなスカンポの葉陰《はかげ》に吊《つ》るして雨露《あまつゆ》をしのぎ、花の蜜《みつ》を集めてきて食べ、葉の上にたまる朝露《あさつゆ》を飲みました。そのうちに夏と秋が過《す》ぎ、いよいよ冬が、寒く長い冬がきました。あれほどすてきな歌をさえずった小鳥たちもすっかりどこかへ行ってしまい、木や花も枯《か》れ、夏の宿を貸《か》してくれた大きなごぼうの葉も巻《ま》き上《あ》がって枯《か》れ、あとに残《のこ》ったのは枯《か》れ衰《おとろ》えた茎《くき》ばかりでした。寒くてたまりません。着ているのはすりきれた夏服ですし、もとが小柄《こがら》できゃしゃですから。かわいそうに、このままでは凍《こご》え死《じ》ぬしかありません！　雪が降《ふ》りだし、親指《おやゆび》っ子ちゃんの体に雪のひとひらがぶつかるたびに、まるでシャベルいっぱいの雪を投げつけられたようでした。普通《ふつう》の人間は大きいのに、親指《おやゆび》っ子ちゃんはやっと一インチ（約二・五センチ）ほどですから。枯葉《かれは》にくるまってはみましたが、何の足しにもならずに寒さに震《ふる》えていました。

親指《おやゆび》っ子ちゃんがたどりついた森のはずれには大きな麦畑がありましたが、刈《か》り入《い》れはとうにすんでしまっていました。凍《こお》った地面にかろうじて残《のこ》っているのは、枯《か》れた刈《か》り株《かぶ》だけです。まるで大きな森の中みたいに勝手がわからず、どんなに凍《こご》えて寒かったか！　やがて、刈《か》り株《かぶ》の下に小さな穴《あな》を構《かま》えた野ネズミの玄関《げんかん》に行き当たりました。このネズミは、貯蔵庫《ちょぞうこ》にたんまりと麦粒《むぎつぶ》をたくわえ、すてきな台所に食糧置《しょくりょうお》き場《ば》までそろえて、ぬくぬくと安楽に暮《く》らしていました。親指《おやゆび》っ子ちゃんは物乞《ものご》いをする子みたいに玄関先《げんかんさき》に立って、大麦の粒《つぶ》を少し分けてくださいと頼《たの》みこみました。二日前から何も食べていなかったのです。

「あら気《き》の毒《どく》に、こんな小さい子が」この野ネズミは気のいいおばあさんで、そう声をかけてくれました。「まあお入り、あたしんちの中はあったかいよ、お夕飯《ゆうはん》をごいっしょしようじゃないか」親指《おやゆび》っ子ちゃんをすっかり気に入って、「あんたさえよければ、冬中うちにいていいよ。ただし、うちの中をきれいにして、お話をしてくれないかい。あたしゃ、お話に目がなくてね」親指《おやゆび》っ子ちゃんは優《やさ》しい野ネズミおばあさんに言われた通りにして置《お》いてもらい、とても楽しく過《す》ごしました。

「じきにお客さんがあるよ」と野ネズミに言われました。「お隣《となり》さんが毎週おいでになるんだけど、うちなんかより羽振《はぶ》りよく暮《く》らしてなさるのさ。間取りもゆったりしてるし、すてきな黒ビロードのコートでね。あんた、あそこへお嫁《よめ》に行けば、蝶《ちょう》よ花よで何不自由《なにふじゆう》なく暮《く》らせるよ、目は不自由《ふじゆう》な旦那《だんな》さんだけど。いらしたら、とってきのお話をしておあげ」

親指《おやゆび》っ子ちゃんはこの話にまるで気乗りしませんでした。お隣《となり》さんなんか論外《ろんがい》です、モグラですもの。モグラはいっちょうらの黒ビロードのコートで訪《たず》ねてきました。野ネズミおばあさんの仲人口《なこうどぐち》ではたいそうなお金持ちで考え深く、野ネズミ家の二十倍を上回る大邸宅《だいていたく》を構《かま》えているとか。でも、いくら物知りでも太陽やお花にはとんと無《む》関心《かんしん》で、目もくれずにけなしてばかりいます。どうしてもと言って親指《おやゆび》っ子ちゃんに歌を歌わせ、「コガネムシさん、飛《と》んでこい」と「坊《ぼう》さんが畑に出てみたら」を聞かせてもらって、すてきな歌声にのぼせ上がりましたが、本心を絶対《ぜったい》に知られないように用心しました。

そして自分の屋敷《やしき》から野ネズミ家に行き来できる長トンネルを掘《ほ》り上げ、野ネズミと親指《おやゆび》っ子ちゃんに声をかけました。「いつでも好《す》きな時にお通りなさいよ、ただしトンネルの途中《とちゅう》に鳥の死骸《しがい》があるけどね。羽もくちばしも完全《かんぜん》に残《のこ》っているよ。死んで間もないから冬の初《はじ》めかな、埋《う》めてもらったのがちょうどトンネルのどまん中だったんだねえ」

モグラは、朽《く》ち木《き》のたいまつを口にくわえました。暗がりで光る朽《く》ち木《き》は灯《ひ》の代用になるからです。その明かりを頼《たよ》りにお客を先導《せんどう》して、暗い長トンネルを抜《ぬ》けていきます。そして鳥の死骸《しがい》にさしかかると、モグラはつぶれた鼻で天井《てんじょう》に大穴《おおあな》を開けて日光を入れました。床《ゆか》の中央に転がっているのはツバメの死骸《しがい》で、すんなりした羽を両側《りょうがわ》にくっつけ、羽の下に頭と足をつっこむようにしています。かわいそうに、きっと寒くて死んだのでしょう。親指《おやゆび》っ子ちゃんは気《き》の毒《どく》でたまらなくなりました。夏に歌ったり、かわいらしい声でさえずってくれた小鳥たちのことはみんな大好《だいす》きでしたから。それなのにモグラは短い足で小鳥をけとばしたあげくに、こうです。「ふん、これでこんりんざいピーピー鳴けまい。小鳥に生まれつくとは因果《いんが》なやつだ。さいわいうちの子に、「ピーピー」しか能《のう》がないのはひとりもおらんからね。冬になって飢《う》え死《じ》にするはずだよ、まったく」

「いやあ、ほんとに賢《かしこ》い旦那《だんな》さんのおっしゃる通りですよ」野ネズミも調子を合わせました。「冬になればピーピーが何の役に立ちますか。空《す》きっ腹《ぱら》で凍《こご》えるのがおちですよ。なのに、そんなのをさも大した芸《げい》みたいに言うらしいじゃないですか」

親指《おやゆび》っ子ちゃんはずっと黙《だま》っていましたが、二匹《ひき》が小鳥に背《せ》を向けると、かがみこんで小鳥の顔にかぶさる羽をよけて、閉《と》じた目にキスしてやりました。

「夏にあれほどきれいな歌を聞かせてくれたのは、もしかしてこの子かしら」親指《おやゆび》っ子ちゃんは思いました。「どれほどわたしを楽しませてくれたことか、きれいな小鳥さん」

モグラはさっきの穴《あな》をふさぐと、客人を家に送っていきました。その晩《ばん》の親指《おやゆび》っ子ちゃんは、どうにも寝《ね》つけません。そこで起きだすと、枯《か》れ草《くさ》を編《あ》んできれいな大判《おおばん》毛布《もうふ》に仕立て、小鳥の死骸《しがい》のところへ持って行って上からかぶせ、寒い中でも暖《あたた》かく休めるようにしました。仕上げに、野ネズミの部屋で見つけたフワフワなアザミの綿《わた》毛《げ》をすきまにあてがってやります。

「さようなら、かわいい小鳥さん!」と、親指《おやゆび》っ子ちゃんは言いました。「さようなら、木々が緑でお日さまが暖《あたた》かく照《て》らしてくれていた夏には、すてきなお歌をありがとう」と、小鳥の胸《むね》に顔をのせ、かすかな鼓動《こどう》に気づいてハッとします。まるで、小鳥の体内で何かが脈打《みゃくう》っているみたいです。それは小鳥の心臓《しんぞう》でした。本当に死んでいたのではなく、寒さで仮死状態《かしじょうたい》になって倒《たお》れていただけで、こうして十分に温めてもらったおかげで息を吹《ふ》き返《かえ》したのでした。

ツバメは秋になると、そろって暖《あたた》かい国へ移動《いどう》しますが、出遅《でおく》れた鳥は冷《ひ》えてしまい、死んだように地面に落ちてきて、そのまま冷《つめ》たい雪に埋《う》もれてしまいます。

親指《おやゆび》っ子ちゃんは怖《こわ》くてがたがた震《ふる》えました。親指《おやゆび》大の自分に比《くら》べて、その鳥はとほうもない大きさだったからです。でも、なけなしの勇気《ゆうき》をふるいおこして、弱ったツバメの体をもっとしっかり綿毛《わたげ》でくるみ、自分の掛《か》けぶとんにしていたミントの葉を持ってきて、小鳥の頭にかけてやりました。

あくる晩《ばん》もこっそり様子を見にきました。ツバメの意識《いしき》は戻《もど》っていたものの、弱っていて目を開けるのがやっとですから、唯一《ゆいいつ》の明かりとなった朽《く》ち木《き》を持ってたたずむ親指《おやゆび》っ子ちゃんを一瞬《いっしゅん》見ただけでした。

「かわいいお嬢《じょう》さん、ありがとうございます」と、体調不良《ふりょう》のツバメが言いました。「おかげさまで、本当にしんから温まりました。じきに力が戻《もど》ってきますよ。そしたらまた暖《あたた》かいお日さまを浴《あ》びながら飛《と》んでいけるでしょう」

「あら」と、親指《おやゆび》っ子ちゃん。「お外は寒いですよ。雪が降《ふ》って凍《こお》りかけていますもの。今はとにかく暖《あたた》かくして休んでいてくださいな、わたしがお世話しますから」

やがて花びらに水をくんできました。ツバメは水を飲ませてもらい、こう打ち明けました。イバラのやぶに片方《かたほう》の翼《つばさ》をひっかけてけがしてしまい、はるかな暖《あたた》かい国への長旅で、ほかのツバメの速度についていけなくなり、とうとう力尽《つ》きて墜落《ついらく》してしまったのです。あとは前後不覚《ぜんごふかく》になり、どんななりゆきで親指《おやゆび》っ子ちゃんに見つけてもらった場所にいたかも記憶《きおく》にないと言います。

ツバメはその場に冬中とどまり、親指《おやゆび》っ子ちゃんに心のこもったお世話を受けました。モグラと野ネズミには絶対にないしょです。だって、この気《き》の毒《どく》なツバメさんのことを嫌《きら》いだと言ってたんですもの。

春になり、お日さまのぬくもりが地の下まで届《とど》くようになるが早いか、ツバメは親《おや》指《ゆび》っ子ちゃんにそろそろお別《わか》れだと知らせました。親指《おやゆび》っ子ちゃんはモグラが前にふさいでおいた天井《てんじょう》の穴《あな》をまた開けてみました。すると、そこからお日さまがさんさんと入ってきます。ツバメは、いっしょに行こうと言ってくれました。背中《せなか》に乗せてあげるから、緑の森を抜《ぬ》けていっしょに飛《と》んでいこうよと。ですが、このまま行ってしまえば、野ネズミのおばあさんに恩《おん》を仇《あだ》で返すのは目に見えています。だから、「だめ、行けない」と、親指《おやゆび》っ子ちゃんは答えました。

「ごきげんよう、さようなら、親切できれいなお嬢《じょう》さん！」ツバメはそう言うと、お日さまの光を浴《あ》びて飛《と》んでいってしまいました。見送る親指《おやゆび》っ子ちゃんは涙《なみだ》ぐんでいます。すっかりツバメのことが大好《だいす》きになっていたのです。

「ピーイ！　ピーイ！」と歌いながら、ツバメは緑の森へ去ってしまいました。

親指《おやゆび》っ子ちゃんはすっかり落ちこみました。暖《あたた》かいお日さまを浴《あ》びに出てはいけないと言われています。しかも野ネズミの住まいの真上では、畑にまかれた麦がすくすくと伸《の》び、親指《おやゆび》サイズの小さな女の子には密林《みつりん》もかくやでした。

「この夏は嫁入《よめい》り支度《じたく》をせっせとおやり」と、野ネズミに言われました。黒ビロードを着たきりの、あのいやなモグラが親指《おやゆび》っ子ちゃんを嫁《よめ》にもらいたいと申し入れてきたからです。「毛《け》織物《おりもの》とリネン類《るい》のどっちも用意しないとね。モグラのおくさんになれば、寝具《しんぐ》も衣裳《いしょう》もいりようになるんだから」

親指《おやゆび》っ子ちゃんはやむなく糸紡《いとつむ》ぎにかかります。野ネズミはクモを四匹頼《ひきたの》んできて昼夜ぶっ通しで機織《はたお》りをさせました。モグラは夜な夜なやってきて、口癖《くちぐせ》のようにこう言いました。「今は陽《ひ》ざしがカチカチになるまで大地を焦《こ》がしているが、いずれ夏が終われば暑さもおさまるさ。そうそう、夏が終わりしだい、親指《おやゆび》っ子ちゃんを嫁《よめ》にもらうつもりだ」でも、親指《おやゆび》っ子ちゃんのほうではちっとも嬉《うれ》しくありません。こんな鈍《にぶ》いモグラなんか、好《す》きでも何でもないのですから。親指《おやゆび》っ子ちゃんは日の出と日の入りには欠《か》かさず、こっそりお外へ抜《ぬ》け出《だ》すことを日課《にっか》にしていました。さわさわとなびく麦の穂《ほ》のすきまから青空がのぞくたびに、光まばゆい外界をうっとりと思《おも》い描《えが》くとともに、あのツバメさんに再会《さいかい》できないかしらと願《ねが》うのでした。でも、ツバメは戻《もど》ってきませんでした。どうやら、はるか遠い国の緑豊《ゆた》かな森へ行ったままそれっきりになってしまったようです。

秋口になると、親指《おやゆび》っ子ちゃんの嫁入《よめい》り支度《じたく》は整いました。

「四週間後に嫁入《よめい》りだからね」野ネズミに言われ、親指《おやゆび》っ子ちゃんは涙《なみだ》ながらにはっきり言いました。「あんな鈍《にぶ》いモグラといっしょになるのは絶対《ぜったい》にいやです」

「バカも休み休みお言い」と、野ネズミが怒《おこ》ります。「あんまり聞き分けがないと、この白い歯でガブリとやるよ。まったく願《ねが》ってもないご縁《えん》じゃないか。あれほどりっぱな黒ビロードのコートは女王さまだって持ってるもんか。あそこの台所も地下室も食べ物でいっぱいだよ。せっかく玉《たま》の輿《こし》に乗れるんだから、神さまに感謝《かんしゃ》したらどうだい」

やがて嫁《よめ》入り当日になりました。モグラはとうに親指《おやゆび》っ子ちゃんを迎《むか》えにきており、これからはモグラといっしょに地の底《そこ》で暮《く》らさなくてはならないのです。モグラは太陽を嫌《いや》がりますから、もう二度と暖《あたた》かい日を浴《あ》びる機会《きかい》はないでしょう。そうして気《き》の毒《どく》な娘《むすめ》が嘆《なげ》き悲《かな》しみながら、まばゆい太陽にお別《わか》れさせられる時がやってきました。野ネズミの家でなら、せめて戸口から太陽を浴《あ》びるぐらいはできたのに。

「さよなら、まばゆいお日さま！」親指《おやゆび》っ子ちゃんはそちらへ腕《うで》をさしのべると、野ネズミの家の外を少し歩いてみました。麦はもう刈《か》りとられ、枯《か》れた刈《か》り株《かぶ》だけになっていました。「さよなら、さよなら！」親指《おやゆび》っ子ちゃんはまた涙《なみだ》ながらにまだ咲《さ》き残《のこ》っていた赤い小花に抱《だ》きつきました。「もしもあのツバメさんを見かけたら、わたしから愛《あい》をこめてよろしくと伝《つた》えてね」

そこへいきなり、「ピーイ、ピイ！　ピーイ、ピイ！」とさえずる声が上から降《ふ》ってきました。顔を上げれば、あのツバメさんがちょうど飛《と》んできたばかりです。再会《さいかい》に大喜《おおよろこ》びするツバメに、親指《おやゆび》っ子ちゃんはモグラのお嫁《よめ》さんになって日の届《とど》かない地下で暮《く》らすのが嫌《いや》でたまらないと話すうちに、もう涙《なみだ》が止まらなくなりました。

「そろそろ寒い冬の季節《きせつ》だよ」ツバメは言いました。「ぼくは、はるかな暖《あたた》かい国へ飛《と》んで行くんだけど、いっしょにきませんか。ぼくの背《せ》に乗って、飾《かざ》り帯《おび》で体をしっかり縛《しば》りつけてね。そしたら醜《みにく》いモグラや暗い地下なんかおさらばして、ずっと遠くへ――山また山を越《こ》えた先にある暖《あたた》かい国へ飛《と》んでってあげる。陽《ひ》ざしがここよりはるかにまばゆく美しい国だよ。それに常夏《とこなつ》でね、きれいな花が年がら年中咲《さ》いてるんだ。ねえ、いっしょに行こうよ、かわいい親指《おやゆび》っ子ちゃん！　だってね、きみはあの暗い地下で凍《こご》えていたぼくを助けてくれた命の恩人《おんじん》なんだから」

「ええ、いっしょに行くわ！」親指《おやゆび》っ子ちゃんはそう言うと、ツバメの背《せ》にまたがって広げた翼《つばさ》の上に両足をのせ、いちばん頑丈《がんじょう》な羽根を選《えら》んで、命綱《いのちづな》がわりの飾《かざ》り帯《おび》を結《むす》びつけました。するとツバメは空高く舞《ま》い上《あ》がり、そのまま森を越《こ》え、海を越《こ》え、万年雪をいただく高い山々さえもゆうゆうと飛《と》び越《こ》えて、どこまでも飛《と》んでいきました。親指《おやゆび》っ子ちゃんは上空の冷気《れいき》にさらされすぎて寒《さむ》くなってくると、ふかふかの暖《あたた》かい羽毛《うもう》にもぐりこんで小さい頭だけ出し、下界の雄大《ゆうだい》な景色《けしき》に見とれました。

ようやく暖《あたた》かい国へたどりつきました。その地のまばゆい太陽は、前にいた国よりはるかに明るく、空は二倍も高く見えました。森にはレモンやオレンジが実り、掘割《ほりわり》や生垣《いけがき》にはみごとな青ブドウや黒ブドウがたわわに実っています。マートルやタイムが風に香《かお》ります。道ばたで色鮮《あざ》やかな蝶々《ちょうちょう》を追いかけて駆《か》け回《まわ》る子どもたちは、とびきりのかわいらしさです。

それでもツバメは止まろうとせず、さらに遠くへ飛《と》んでいき、景色《けしき》はどんどん美しくなります。紺碧《こんぺき》の湖のほとりで緑の大木に囲まれて、白くまばゆい大理石づくりの古代の宮殿《きゅうでん》が建っていました。びっしりとツタがからんだ太い円柱群《ぐん》のいただきにツバメたちが思い思いに巣《す》をかけており、そのひとつが親指《おやゆび》っ子ちゃんを連《つ》れてきたツバメの住まいでした。

「ぼくんちはここだよ」と、ツバメは言いました。「あの下で咲《さ》いている豪華《ごうか》な花のどれかがよければ連《つ》れてってあげるから、そっちで気ままに楽しく暮《く》らしたらいいよ」

「うわあ、いいわね」親指《おやゆび》っ子ちゃんは小さな手を打って喜《よろこ》びました。

太い白大理石の柱のひとつが三つに折《お》れて地面に転がり、そのはざまに咲《さ》いていたのは、ひときわ美しい白い花々でした。ツバメは親指《おやゆび》っ子ちゃんをそちらへ連《つ》れていき、大輪《たいりん》の花の花びらにおろしてやりました。驚《おどろ》くまいことか、その花の芯《しん》にはガラス細工のようにまばゆく透明《とうめい》な小さい男の人がいたのです。精巧《せいこう》この上ない金の冠《かんむり》を何重にもかぶり、両肩《りょうかた》にはまばゆい光を放つ羽があり、背格好《せかっこう》は親指《おやゆび》っ子ちゃんとそう変《か》わりません。この人は花の精《せい》でした。どの花にも似《に》たような小さい男女がもれなく住んでいましたが、この花にはすべての花の精《せい》の王がいたのです。

「まあ、すてきな方ね」親指《おやゆび》っ子ちゃんは小声でツバメに言いました。王さまは、ちょっとツバメにたじろぐふうでした。自分の小ささに比《くら》べれば、ツバメはとんでもなく巨大《きょだい》に見えたはずですから。ですが親指《おやゆび》っ子ちゃんに気づくと、ご機嫌《きげん》になりました。今まで見たこともないほどの美少女だったからです。それまでかぶっていた金の冠《かんむり》のひとつを外して、親指《おやゆび》っ子ちゃんの頭にのせました。名前を聞かせてもらえないかと礼儀《れいぎ》正《ただ》しくたずね、わたしの妃《きさき》としてすべての花の女王になってくれないかと求婚《きゅうこん》しました。まったくの話、ヒキガエルの息子《むすこ》や黒ビロードのモグラなどとは月とスッポンの花婿《はなむこ》どのです。ですから、

このすてきな王さまには「はい」と答えたんですよ。すると、どの花からもひとりずつ、目を楽しませるような小さな貴婦人《きふじん》や紳士《しんし》がぞくぞくと出てきて、ひとりずつ親《おや》指《ゆび》っ子ちゃんに結婚祝《けっこんいわ》いを贈《おく》りました。とりわけりっぱな贈《おく》り物《もの》は、大きな銀バエの羽のひとそろいでした。背中《せなか》にしっかりくっつけてもらうと、親指《おやゆび》っ子ちゃんも花から花へ自由《じゆう》に飛《と》びまわれるようになったのです。みんな大喜《おおよろこ》びする中で、柱の巣《す》からあのツバメもとっておきの歌を親指《おやゆび》っ子ちゃんに捧《ささ》げました。心の奥底《おくそこ》では泣《な》いていたのですけどね。もう二度と親指《おやゆび》っ子ちゃんと別《わか》れたくないというほど、大好《だいす》きになっていたのですから。

「もう、これからは親指《おやゆび》っ子ちゃんという名はおよし」花の精《せい》の王はおっしゃいました。「きみみたいな美少女に、そんなおかしな名は似合《にあ》わないよ。今後はマヤ（訳《やく》註《ちゅう》：マリアの愛称《あいしょう》）と呼《よ》ぶことにしよう」

「さよなら！　さよなら！」ツバメはお別《わか》れをすると、また暖《あたた》かい国を離《はな》れて遠いデンマークに帰ってきました。お話語りのおじさんが住む家の窓《まど》の上に、小さな巣《す》をかけていたのでね。その人に歌で、「ピーイ、ピイ！　ピーイ、ピイ！」と、ひととおり聞かせてあげ、そこからわたしたちみんなにすっかり知れわたったというわけです。

しっかり立っている錫《すず》の兵隊《へいたい》

ずっと昔のあるとき、二十五人の兵隊《へいたい》さんたちがいました。みんな、兄弟だったんですよ。だって、一本の古い錫《すず》のスプーンから作られたのですから。みんな、鉄砲《てっぽう》をかついで、まっすぐ前を向いていて、おそろいの赤と青のすてきな制服《せいふく》を着ていました。

しまわれていた箱のふたがあいて、明るい光が見えたとき、最初《さいしょ》に聞こえたのは、「錫《すず》の兵隊《へいたい》さんだ！」という声です。そう言ったのは、誕生日《たんじょうび》のプレゼントにそれをもらった小さな男の子で、男の子は手を叩《たた》いて喜《よろこ》びました。そして、さっそくその兵《へい》隊《たい》たちをテーブルに並《なら》べました。

どの兵隊《へいたい》も、みんなそっくりです。ただひとりだけ、最後《さいご》に作られた兵隊《へいたい》さんは、残《のこ》っている錫《すず》が足りなかったので、ほかの兄弟たちとは違《ちが》っていました。足が一本しかなかったのです。それでも、その兵隊《へいたい》さんは一本足でしっかりと立っていました。

ほかの二本足の兵隊《へいたい》さんたちに負けずにね。しかも、この兵隊《へいたい》さんこそ、有名になったのですよ。

兵隊《へいたい》さんたちが置《お》かれているテーブルには、ほかにも玩具《おもちゃ》がたくさんありました。けれど、なかでもとびきり目を引くのは、紙でできているかわいいお城《しろ》です。その小さな窓《まど》からは、部屋がいくつも見えました。お城《しろ》の前には、小さな木立ちに囲《かこ》まれている澄《す》んだ湖があって、この湖は小さな鏡《かがみ》で作られていました。湖の上には、蠟細工《ろうざいく》の白鳥が何羽《なんわ》も泳いでいて、その姿《すがた》が鏡《かがみ》に映《うつ》っています。どれもこれも、とてもかわいいのですが、なかでもとびきりかわいいのは、お城《しろ》の開いた入口に立っている小さな娘《むすめ》さんでした。

この娘《むすめ》さんも紙を切《き》り抜《ぬ》いて作られていましたが、真っ白なモスリンのドレスを着て、青の細いリボンをスカーフのように肩《かた》へ垂《た》らし、その真ん中に娘《むすめ》さんの顔ぐらいあるぴかぴかのスパンコールをひとつつけています。この小さな娘《むすめ》さんは両腕《りょううで》を広げているのですが、それは踊《おど》り子《こ》だからなんですよ。そのため、片方《かたほう》の足を高く上げていたので、錫《すず》の兵隊《へいたい》さんにはそれが見えず、自分みたいに片足《かたあし》しかないんだなと思ってしまいました。

「あの娘《むすめ》さんはぼくのお嫁《よめ》さんにぴったりだな」と兵隊《へいたい》さんは考えました。「でも、高嶺《たかね》の花《はな》かなあ。娘《むすめ》さんはお城《しろ》に住んでいるのに、ぼくの家はちっぽけな箱だし、ほかに二十四人もいっしょなんだから。ここに住んでもらえるわけがないよ。でも、なんとかお友だちになりたいなあ」そして、テーブルの上にあるかぎ煙草《たばこ》の箱の後ろに、体をすっと伸《の》ばしたまま横になりました。そこからだと、小さなかわいい娘《むすめ》さんが見えるのです。娘《むすめ》さんはよろけもせず、ずっと片足《かたあし》で立ち続《つづ》けていました。

夜になると、ほかの錫《すず》の兵隊《へいたい》たちはみんな箱のなかへしまわれて、家の人たちはベッドに入りました。さて、玩具《おもちゃ》たちの遊ぶ時間です。お客さまごっこや、戦争《せんそう》ごっこや、舞踏会《ぶとうかい》ごっこが始まりました。錫《すず》の兵隊《へいたい》たちも遊びに加《くわ》わりたくて、箱のなかでガタガタ動きましたが、箱のふたを持ち上げることができません。クルミ割《わ》りはとんぼ返りをするわ、石筆《せきひつ》は石盤《せきばん》の上に勝手に何かを書くわ、たいへんな騒《さわ》ぎなので、カナリアが目を覚《さ》まして、おしゃべりを始めました。それがなんと、詩なのですよ。その場を動かないのは、錫《すず》の兵隊《へいたい》と踊《おど》り子《こ》だけになりました。踊《おど》り子《こ》は両腕《りょううで》を伸《の》ばしたまま、爪先《つまさき》で立ったままですし、錫《すず》の兵隊《へいたい》は片足《かたあし》でしっかり立った姿勢《しせい》で横になったまま、かたときも娘《むすめ》さんから目をそらしませんでした。

時計が十二時を打ったとき、カタッ！　と、かぎ煙草《たばこ》の箱のふたが開きました。そこに入っていたのはかぎ煙草《たばこ》ではなく、小さな黒いトロールです。これはびっくり箱で、トロールがいたずらをしたのでした。

「おい、錫《すず》の兵隊《へいたい》」とトロールは言いました。「こっちをじろじろ見るのはやめろよな」

錫《すず》の兵隊《へいたい》は聞こえないふりをしました。

「よーし、明日まで待ってろよ」とトロールは続《つづ》けました。

朝になると、子どもたちが起きてきて、一本足の錫《すず》の兵隊《へいたい》を窓敷居《まどしきい》に置《お》きました。すると、トロールのしわざか、すきま風のしわざか、とたんに窓《まど》がぱっと開いて、兵隊《へいたい》さんは四階から下の通りへ真《ま》っ逆《さか》さまに落ちてしまったのです。なんて恐《おそ》ろしいことでしょうか！　兵隊《へいたい》さんは一本足を宙《ちゅう》に向け、ヘルメットを下にして着地しました。銃剣《じゅうけん》が道路の敷石《しきいし》のあいだに突《つ》き刺《さ》さっています。

小さな男の子とお手伝いさんがすぐに下りてきて、兵隊《へいたい》を探《さが》しましたが、すぐ近くまで来て危《あや》うく踏《ふ》みつぶしそうになったというのに、気づきません。錫《すず》の兵隊《へいたい》さんが、「ぼくはここにいますよ！」と叫《さけ》んだら、きっと見つけてもらえたでしょう。でも、大きな声を出すなんて、はしたないと思ったのです。だって、軍服《ぐんぷく》を着ているのです

からね。

やがて、雨が降《ふ》ってきました。はじめはぽつりぽつりだったのですが、まもなくひどくなってきて、ついには土砂降《どしゃぶ》りになりました。

ようやく雨が上がると、町の子どもがふたり、通りかかりました。

「あれっ、錫《すず》の兵隊《へいたい》だよ！」ひとりが言いました。「舟《ふね》に乗せてやろう」

そこで、ふたりは新聞紙で舟《ふね》を作り、錫《すず》の兵隊《へいたい》を乗せて、道路の溝《みぞ》に流しました。男の子たちふたりはその横を走りながら、手を叩《たた》いています。まあ、なんということでしょう！　溝《みぞ》のなかは波がひどく、流れの速いことといったらありません。だって、さっきまで雨がざあざあ降《ふ》っていたのですから。紙の舟《ふね》は上へ下へと揺《ゆ》れに揺《ゆ》れ、くるくると勢《いきお》いよくまわることもあって、錫《すず》の兵隊《へいたい》さんは震《ふる》えてしまいました。でも、身じろぎひとつせず、鉄砲《てっぽう》を肩《かた》にかついだまま、まっすぐに前を向いていましたよ。

すると、舟《ふね》はいきなり長い排水管《はいすいかん》のなかへ入りました。あたりはあの箱のなかと同じくらい、真っ暗です。

「ぼくはどこへ行くのかな？」と兵隊《へいたい》さんは考えました。「こうなったのは、あの黒いトロールのせいだよ。ああ！　せめて、あの小さな娘《むすめ》さんがぼくといっしょにこの舟《ふね》に座《すわ》っていてくれたらなあ。そうしたら、いくら暗くたって、へっちゃらなんだけど」

　そこへ、排水管《はいすいかん》に住んでいる大きなドブネズミがやってきました。

「通行券《つうこうけん》を持ってるか？」とドブネズミが聞いてきます。

「通行券《つうこうけん》を見せろ！」

　けれど、錫《すず》の兵隊《へいたい》さんは黙《だま》ったまま、鉄砲《てっぽう》をいっそう強く握《にぎ》りしめました。舟《ふね》は勢《いきお》いよく進んでいきます。ドブネズミは歯をぎしぎし鳴らしながら追いかけてきて、木切れや藁《わら》に叫《さけ》びました。

「そいつを止めろ、そいつを止めろ！　通行料《つうこうりょう》を払《はら》わないんだ！　通行券《つうこうけん》を見せないんだ！」

けれど、流れはどんどん速くなるばかりで、いまや錫《すず》の兵隊《へいたい》さんには排水管《はいすいかん》のはずれにお日さまの光が見えてきました。とはいえ、ごうごうという音も聞こえてきます。どれほど勇気《ゆうき》があっても、怖《こわ》くなってしまうような音です。さて、それは何でしょうか。なんと、排水管《はいすいかん》のはずれで、どぶの水が大きな水路に勢《いきお》いよく流れこんでいるのです。それは、わたしたち人間が大きな滝《たき》へ運ばれていくのと同じくらい、兵隊《へいたい》さんにとって危険《きけん》なことでした。すでにすぐそばまで来ているので、止まるなんてとても無理《むり》です。舟《ふね》はどんどん流れていきます。

かわいそうな錫《すず》の兵隊《へいたい》さんは、精《せい》いっぱい体に力をこめました。目をぱちくりしていたなんてことは、絶対《ぜったい》にありません。舟《ふね》は三、四回くるくる素早《すばや》くまわると、へりぎりぎりまで水でいっぱいになってしまいました。沈《しず》むしかないでしょう。錫《すず》の兵隊《へいたい》さんは首まで水につかっています。舟《ふね》はますます深く沈《しず》んでいき、新聞紙はどんどん濡《ぬ》れてきました。やがて、水は兵隊《へいたい》さんの頭にかぶさりました。兵隊《へいたい》さんが、二度と見られないあのかわいい小さな踊《おど》り子《こ》のことを考えると、こんな言葉が聞こえてきました。

さようなら、兵隊《へいたい》さん、まじめで勇敢《ゆうかん》な人、
　もう、あなたの命は助からない

そのとき、新聞紙の舟《ふね》がばらばらに破《やぶ》けて、錫《すず》の兵隊《へいたい》さんは水のなかへ沈《しず》み、大きな魚にぱくりとのまれてしまいました。

まあ、なんと、魚のなかの暗いことといったら、排水管《はいすいかん》と比《くら》べようもありません。おまけに、恐《おそ》ろしいほど狭《せま》いのです。けれど、錫《すず》の兵隊《へいたい》さんは鉄砲《てっぽう》を肩《かた》にしっかりかついだまま、あわてず騒《さわ》がず、体をすっと伸《の》ばして横になっていました。

魚は勢《いきお》いよく泳ぎまわり、とほうもなくじたばた動いたかと思うと、ついに静《しず》かになりました。そして、稲光《いなびかり》のようなものがぴかっと走ったかと思うと、まぶしいほどの光が現《あらわ》れて、大きな声がしました。「錫《すず》の兵隊《へいたい》さんだわ！」

魚は捕《つか》まって市場へ持っていかれ、そこで売られて、台所へやってきたのです。そして、ちょうど料理人《りょうりにん》が大きな包丁《ほうちょう》でそのお腹《なか》を開いたところでした。料理人《りょうりにん》が錫《すず》の兵隊《へいたい》さんの胴《どう》を二本の指でつまんで上の部屋へ持っていくと、みんな

が見たがりました。魚のお腹《なか》に入ってあちらこちらを旅してきた、素晴《すば》らしい兵隊《へいたい》さんなのですからね。でも、錫《すず》の兵隊《へいたい》さんはそれを自慢《じまん》したりはしませんでしたよ。兵隊《へいたい》さんはテーブルの上に置《お》かれたのですが、まあ、この世の中にはなんと不思議《ふしぎ》なことが起こるのでしょう！　兵隊《へいたい》さんはもともといた部屋に戻《もど》ってきていたのです！　同じ子どもたちがいましたし、同じ玩具《おもちゃ》がテーブルの上にありました。かわいいお城《しろ》もあって、あのすてきな小さい踊《おど》り子《こ》もいます。娘《むすめ》さんはいまも片足《かたあし》で立って、もう一方の足を宙《ちゅう》に高く上げていました。娘《むすめ》さんもやはりしっかりしていました。錫《すず》の兵隊《へいたい》さんはその姿《すがた》にたいそう心を打たれて、いまにも錫《すず》の涙《なみだ》をこぼしそうになりました。けれど、それは兵隊《へいたい》にふさわしくありません。兵隊《へいたい》さんは踊《おど》り子《こ》を見つめました。踊《おど》り子《こ》も兵隊《へいたい》さんを見つめました。どちらも黙《だま》ったままでいます。

ふたりがとてもいい感じになってきたとき、いきなり小さな男の子のひとりが錫《すず》の兵隊《へいたい》さんをつかんで、ストーブのなかへ放りこみました。そんな扱《あつか》いをされる理由など、ありはしないのに！　これもまた、かぎ煙草《たばこ》入れのなかにいるトロールのしわざに違《ちが》いありません！

錫《すず》の兵隊《へいたい》さんはあかあかとした炎《ほのお》に包《つつ》まれ、我慢《がまん》できないほど熱《あつ》くなりました。でも、この熱《あつ》さが本当の火のせいなのか、それとも愛《あい》のせいなのか、わかりませんでした。体に塗《ぬ》られていた色はすっかりあせていて、これが旅のあいだにこすれたせいなのか、それとも悲しみのせいなのか、だれにもわかりません。

兵隊《へいたい》さんは小さな娘《むすめ》さんを見つめ、娘《むすめ》さんも兵隊《へいたい》さんを見つめました。兵隊《へいたい》さんは自分がとけていくのを感じましたが、それでも鉄砲《てっぽう》を持ったまま、しっかり立っていました。

そのとき、ドアが急に開いたかと思うと、風が踊《おど》り子《こ》をさらったのです。踊《おど》り子《こ》はまるで空気の精《せい》のように、ストーブのなかの錫《すず》の兵隊《へいたい》さんのところへ飛《と》んでいくと、めらめらと燃《も》え上《あ》がって、あっという間になくなってしまいました。錫《すず》の兵隊《へいたい》さんもとけて、かたまりになりました。

あくる朝、お手伝いさんがストーブの灰《はい》をかき出すと、ハートの形をした小さな錫《すず》のかたまりが見つかりました。かわいい踊《おど》り子《こ》のほうは、スパンコールだけが残《のこ》っていたのですが、それは焦《こ》げて炭のように真っ黒になっていたのでした。

雪の女王

最初《さいしょ》のお話
鏡《かがみ》と、そのかけら

さあ、みなさん、お話を始めますよ。おしまいまで聞いたら、いまよりももっといろいろなことがわかっているでしょう。

ものすごくひどい悪さをする小人《こびと》のお話です。それはもう手をつけられないほど悪い小人《こびと》でした。なんと、悪魔《あくま》だったのです。

ある日、小人《こびと》の悪魔《あくま》はそれはそれはご機嫌《きげん》でした。鏡《かがみ》を作ったからなのですが、それは変《か》わっている鏡《かがみ》

で、いいものや美しいものはなんでも縮《ちぢ》んで、ほとんどうつらなくなってしまうのです。逆《ぎゃく》に、役に立たないものや醜《みにく》いものは大げさにうつって、もっとひどく見えます。とびきりきれいな景色《けしき》は煮《に》すぎたホウレンソウみたいに見えますし、とてもいい人は気味悪くうつったり、胴体《どうたい》がなくなって逆《さか》さまにうつったりして、顔がとんでもなくゆがむので、だれなのかわからなくなるのです。そばかすがひとつだけあったとしても、それが鼻や口にまで散《ち》らばってうつるのは避《さ》けられません。

「こいつは面白《おもしろ》くてたまらん」と悪魔《あくま》は言いました。だれかの心に裏《うら》のある考えが浮《う》かぶと、それも鏡《かがみ》にうつるのですから、この悪魔《あくま》は自分の悪賢《わるがしこ》い発明にほくそ笑《え》んだのでした。悪魔《あくま》は「悪い小人《こびと》の学校」を開いていて、そこに通っている生徒《せいと》たちはみんな、奇跡《きせき》が起こったとそこらじゅうに言いふらしました。世の中やそこで暮《く》らす人間の本当の姿《すがた》が、いまようやく初《はじ》めて見られるのだと触《ふ》れまわったのです。その鏡《かがみ》を持ってあっちへこっちへと走り歩いたものですから、しまいには、そのなかにゆがんでうつらなかった国や人間がなくなってしまうほどでした。

そこで、次は鏡《かがみ》を持って天国へ飛《と》んでいき、天使や神さまをからかってやりたくなりましてね。みんなが鏡《かがみ》を持って高く飛《と》んでいくほど、鏡《かがみ》のなかの気味悪い笑《わら》いはひどくなり、やっとしっかり握《にぎ》っているというありさまでした。さらにもっと高く飛《と》んでいき、神さまや天使たちに近くなると、鏡《かがみ》が気味悪い笑《わら》いを浮《う》かべながら恐《おそ》ろしいほど震《ふる》えてきました。そして、みんなの手から滑《すべ》ってしまい、地上に落ちて砕《くだ》け、百万、百億、いいえ、もっとたくさんの細かいかけらになったのです。

そのせいで、これまでよりも大きな不幸《ふこう》がまき散《ち》らされてしまいました。このかけらのなかには砂粒《すなつぶ》ぐらいしかないものもあって、それが世界中に飛《と》び散《ち》ったからなんです。そういうものがだれかの目に飛《と》びこむと、そこに刺《さ》さったままになり、その人はなんでもゆがんで見えますし、あることの悪い面しか見えなくなります。だって、どんなに小さなかけらでも、もとの鏡《かがみ》と同じ力があるのですからね。

鏡《かがみ》の小さなかけらが心臓《しんぞう》に入ってしまった場合は、なんとも恐《おそ》ろしいことになりました。その人の心臓《しんぞう》は氷になってしまうのです。なかにはとても大きなかけらがあって、窓《まど》ガラスに使われましたが、その窓《まど》ガラス越《ご》しに友だちを見ると、ひどいことになりました。眼鏡《めがね》にされたかけらもあります。その眼鏡《めがね》をかけて、ものを正しく見ようとしたり正しくふるまおうとしたりすると、とんでもないことになります。そんな様子に、悪魔《あくま》はおなかを抱《かか》えて大笑《おおわら》い。もう楽しくて楽しくて、たまりませんでした。

さて、それはさておき、この鏡《かがみ》の小さなかけらのなかには、まだ空中を漂《ただよ》っているものがあったのですよ。さあ、次のお話を聞きましょう！

二つめのお話

男の子と女の子

その大きな町には数えきれないくらいの家があって、たくさんの人たちが住んでいるので、だれもがちょっとした庭を持てるだけの場所がありませんでした。ですから、たいていは花を植えた植木鉢《うえきばち》で我慢《がまん》するしかないのです。とはいえ、植木鉢《うえきばち》よりは少しだけ大きな庭のある、貧《まず》しい子どもがふたりいました。ふたりは別々《べつべつ》の家の子どもでしたが、まるで実の兄妹《きょうだい》のように仲良《なかよ》しでした。ふたりの両親は向かい合っている家に住んでいました。そこは屋根裏部屋《やねうら》で、両方の屋根がくっついていて、そのあいだに雨どいが伸《の》びています。それぞれの家には小さな窓《まど》があり、雨どいをひょいとまたげば、こちらの窓《まど》からあちらの窓《まど》へ行けるのでした。

それぞれの両親は窓《まど》の外に大きな木箱を置《お》き、そこに家で使う野菜《やさい》を植えていました。小さなバラの木も一本ずつ植えていて、見事に育っていました。両親たちはその箱を雨どいに置《お》くことにしたので、木箱がこちらの窓《まど》からあちらの窓《まど》までほぼつながり、ふたつの花の壁《かべ》のように見えました。エンドウ豆が箱の外へ垂《た》れ下《さ》がり、バラの低《ひく》い木は長い枝《えだ》を伸《の》ばして、窓《まど》のまわりを飾《かざ》り、互《たが》いの窓《まど》のほうへと向かっていきます。それはまるで花と葉っぱでできた凱旋門《がいせんもん》のようでした。その箱は丈《たけ》が高く、子どもたちはそこにのぼってはいけないとわかっていたので、よくお母さんにねだっては、箱の後ろの屋根に出ると、バラの木の下にある小さな腰《こし》かけに座《すわ》って、楽しく遊びました。

冬には、こうした楽しみはなくなります。窓《まど》がいちめん霜《しも》でおおわれてしまうことがあるからです。そんなときは、ストーブで温めた銅貨《どうか》を凍《こお》った窓《まど》ガラスに押《お》しつけます。すると、すてきなのぞき穴《あな》ができるのです。丸く、まん丸に！　そうしてできた、それぞれの窓《まど》ののぞき穴《あな》からは、明るくやさしい目がのぞいていました。男の子と、女の子の目です。男の名前はカイ、女の子の名前はゲルダでした。

夏には、一回ぴょんと飛《と》び越《こ》えるだけで行ったり来たりできましたが、冬になると、たくさんの階段《かいだん》を下りていき、そのあとまたたくさんの階段《かいだん》を上ってこなければなりませんでした。外では雪が舞《ま》っています。

「あれは白いミツバチが群《むら》がっているんだよ」おばあさんが言いました。

「じゃあ、あそこには女王バチもいるの？」男の子が聞きました。本当のミツバチ

には女王バチがいることを知っているのです。

「ああ、いるとも」おばあさんは答えました。「いつだって、どこよりもたくさん群《むら》がっているところを飛《と》んでいるんだよ。体が一番大きくてね、地面にはけっしてじっとしていないで、またさっと暗い空のほうへ飛《と》んでいくのさ。たいていの冬の夜には、町の通りをあちこち飛《と》びまわって、窓《まど》ガラスからなかをのぞくんだけど、なぜかそこに凍《こお》りついてしまって、お花みたいに見えるんだよ」

「それ、見たことある！」子どもたちふたりは口をそろえて言いました。見たことがあるので、それが本当の話だとわかりました。

「雪の女王はここに入ってこられる？」女の子が聞きました。

「入らせてみようよ！」と男の子。「ぼく、熱《あつ》いストーブにのせるんだ。そうしたら、とけちゃうね」

けれど、おばあさんは男の子の髪《かみ》をなで、ほかのお話を始めたのでした。

夕方、カイは家のなかで服を脱《ぬ》ぎかけたまま、窓際《まどぎわ》の椅子《いす》にのって、小さなのぞき穴《あな》から外をのぞきました。外では雪がちらちら降《ふ》っていて、そのなかのひとひら、一番大きい雪が、花の木箱の縁《ふち》に舞《ま》い下《お》りました。すると、そのひとひらはみるみる大きくなり、やがて女の人になりました。白くて透《す》けるように薄《うす》い服をまとっていますすが、それは何百万という星のようにきらめく雪の結晶《けっしょう》でできている服でした。美しくてほっそりしている人ですが、氷でできています。まばゆいばかりにきらきらしている氷です。それでも、生きていて、目はふたつの明るい星のような光を放っていました。ただ、ほっとするような穏《おだ》やかな目ではありません。女の人は窓《まど》のほうにうなずき、手招《てまね》きをしました。男の子は怖《こわ》くなり、椅子《いす》から飛《と》び下《お》りました。ちょうどそのとき、大きな鳥が窓《まど》の外を飛《と》んでいったように見えました。

次の日は霜《しも》が降《お》りましたが、くっきりと晴れました。そのあと雪どけになり、春がやってきました。お日さまが輝《かがや》いて、緑の新しい芽《め》が顔をのぞかせ、ツバメが巣《す》を作ります。窓《まど》が開いて、子どもたちがまた家のてっぺんにある高い屋根に上がり、庭に座《すわ》るようになりました。

その夏、バラはすばらしい花を咲《さ》かせました！　女の子はバラの花が出てくる讃美《さんび》歌《か》をひとつ覚《おぼ》え、自分のバラのように身近に感じたので、男の子にその讃美《さんび》歌《か》を歌って聞かせました。男の子もいっしょに歌います。

この世に咲《さ》く、美しいバラの花
わが幼子《おさなご》イエスは、そこにおわします

そして、ふたりは手をつないで、バラの花にキスをしました。それから、神さまの輝《かがや》くお日さまを見上げ、幼子《おさなご》イエスがそこにいるかのように話しかけました。夏の日はとっても気持ちがいいね！　家の外でいつまでも次々に咲《さ》くかのようなバラの茂《しげ》みのそばは、とってもすてきだね！

カイとゲルダはそこに腰《こし》を下ろして、鳥や動物の絵本を見ていました。そのときです。大きな教会の塔《とう》にある時計がちょうど五時を打ったとき、カイが言いました。

「わっ！　胸《むね》がチクッとした！　あっ、目に何かが入った！」

女の子はカイを抱《だ》きしめました。カイは目をぱちぱちしました。でも、あら、なんともありません。

「取れちゃったんだね」カイは言いました。けれど、取れてはいませんでした。それはあの鏡《かがみ》のガラスのかけらのひとつだったのです。ほら、悪魔《あくま》の鏡《かがみ》ですよ、覚《おぼ》えているかしら。この厄介《やっかい》な鏡《かがみ》にうつると、すばらしくて良《よ》いものはなんでも、つまらなくてひどいものに見えて、いやな悪いものが、ちゃんとした立派《りっぱ》なものになり、どんなアラもすぐ目についてしまうんです。かわいそうに、カイの心臓《しんぞう》にもそのかけらがひとつ入ったのです。いまにカイの心臓《しんぞう》は、氷のかたまりみたいになってしまうことでしょう。もう痛《いた》くはありませんが、かけらはちゃんとそこにあるのでした。

「なんで泣《な》いてるの？」カイが聞きました。「やな顔しちゃってさ。ぼくは大丈夫《だいじょうぶ》だってば」そこで、急に大声を出しました。「うわっ！　あそこのバラ、虫に食われてるぞ。それに、ほら、こっちはゆがんでる！　どっちも、なんて汚《きたな》いバラなんだ。植わってる箱とおんなじだ！」そして、足で箱を蹴《け》っ飛《と》ばし、そのふたつのバラをむしってしまいました。

「カイ、何をするの？」女の子は叫《さけ》びました。

ゲルダがびっくりするのを見ると、カイはもうひとつバラをむしって、かわいいゲルダのそばを離《はな》れ、窓《まど》から自分の家へぱっと入ってしまいました。

しばらくして、ゲルダが絵本を持っていくと、そんなのは赤《あか》ん坊《ぼう》が見るもんだと、カイは言いました。おばあさんがお話をしてくれても、ことあるごとに、「だけどさ」と口をはさみます。そして、隙《すき》さえあれば、おばあさんの後ろへ行き、眼鏡《めがね》をかけて、おばあさんの口真似《くちまね》をします。それがそっくりだったので、みんなは声をあげて笑《わら》いました。やがて、カイは近所のみんなの話し方や歩き方を真似《まね》できるようになりました。その人たちの変《へん》なところや悪いところだったら、なんでも真似《まね》してしまいます。すると、みんなはこう言いました。「まったくまあ、すばらしい頭をしているね、あの男の子は！」けれど、これはすべて、目に入ったガラスのせい、心臓《しんぞう》に刺《さ》さったガラスのせいでした。そのため、ゲルダをからかうようにもなってしまったのです。ゲルダはカイを心の底《そこ》から愛《あい》しているというのに。

カイの遊び方も、それまでとはがらりと変《か》わり、ずいぶん理屈《りくつ》っぽくなりました。ある冬の日、雪が降《ふ》っているとき、カイは大きな虫眼鏡《むしめがね》を持って外へ出ると、自分の青い上着の裾《すそ》を引《ひ》っ張《ぱ》って、舞《ま》い落《お》ちる雪を受け止めました。

「ねえ、虫眼鏡《むしめがね》で見てごらん、ゲルダ」カイが言いました。

雪の結晶《けっしょう》が拡大《かくだい》されて、きれいな花のように、あるいは角が十個《こ》あるお星さまのように見えます。きれいな形でした。

「ほらね、すごいだろ！」カイは言いました。「本当の花なんかより、ずっと面白《おもしろ》いんだ。変《へん》なところがひとつもないんだよ。とけはじめるまでは、どれもきちんとしてて」

そのあと少しして、カイは分厚《ぶあつ》い手袋《てぶくろ》をはめ、ソリをかついで外に出ました。そして、「ほかの男の子たちが遊んでる大きな広場に行ってもいいって、言われたんだ」とゲルダの耳に届《とど》くように大きな声で言うと、出かけていきました。

広場では、腕白《わんぱく》な男の子たちが自分のソリをお百姓《ひやくしよう》さんの荷車につないで、ずいぶん遠くまでいっしょに滑《すべ》ることがありました。それはわくわくするような楽しさなのです。こうして遊んでいる最中《さいちゅう》に、大きなソリがやってきました。ソリは真っ白に塗《ぬ》ってあって、なかに座《すわ》っている人はふさふさの白い毛皮にくるまり、ふさふさの白い帽子《ぼうし》をかぶっています。ソリは広場を二周《しゅう》まわりました。カイはうまいこと自分の小さなソリをそれに結《むす》びつけ、いっしょに滑《すべ》っていきました。ソリはどんどんスピードを上げ、隣《となり》の通りへ入っていきます。ソリを走らせている人が振《ふ》り返《かえ》って、カイに親しげにうなずきました。なんだか、どこかで会った人のような気がします。カイが自分の小さなソリをほどこうと思うたびに、その見知らぬ人がうなずくので、カイは座《すわ》ったままでいました。やがて、ソリは町の門から出ていきました。

すると、雪がとても激《はげ》しく降《ふ》りはじめ、ほんの少し先も見えないほどになりましたが、ソリはまだ走っていきます。そこで、カイは大きなソリから離《はな》れようと、あわてて綱《つな》をゆるめました。なのに、それはなんにもならず、カイの小さなソリは大きなソリにしっかりついたまま、風のように走り続《つづ》けるのでした。今度は大声を出しましたが、聞いてくれる人はだれもいません。雪は激《はげ》しく降《ふ》りしきり、ソリは飛《と》ぶように走ります。ときどき跳《は》ね上《あ》がるのは、生《い》け垣《がき》や堀《ほり》を飛《と》び越《こ》えるからでしょうか。カイはすっかり震《ふる》え上《あ》がり、「主の祈《いの》り」を唱《とな》えようとしましたが、頭に浮《う》かぶのは掛《か》け算《ざん》の九九の表ばかりでした。

雪のひとひらがだんだん大きくなり、しまいには大きな白いニワトリに見えるほどになりました。それがいきなり両脇《りょうわき》に引いたかと思うと、大きなソリが止まり、ソリを走らせていた人が立ち上がりました。毛皮も帽子《ぼうし》も、雪だけでできています。その人は背《せ》が高くてすらりとした女の人で、真っ白に輝《かがや》いていました！　なんと、雪の女王だったのです。

「急いで走ってきたのだよ！」と雪の女王は言いました。「でも、おまえは寒くて震《ふる》えているね！　わたくしのクマの毛皮のなかへおいで」

雪の女王はカイを大きなソリに乗せて、自分の隣《となり》に座《すわ》らせ、毛皮でくるみました。けれど、カイは雪の吹《ふ》きだまりに沈《しず》んでいくような感じがしました。

「まだ寒いのかい？」雪の女王はそう尋《たず》ねると、カイのひたいにキスをしました。ああ！　それは氷よりも冷《つめ》たくて、すでに氷のかたまりになりかかっているカイの心臓《しんぞう》まで、たちまち伝《つた》わっていきました。カイは死ぬかと思いましたが、それはほんの一瞬《いっしゅん》で、そのあとは元どおりとても元気になり、もう寒さが気にならなくなりました。

「ぼくのソリ！　ぼくのソリを忘《わす》れないで！」

頭に浮《う》かんだのは、それだけです。カイのソリは一羽《わ》の白いニワトリにしっかりと結《むす》びつけられました。そのニワトリはソリを背中《せなか》に乗せて、後ろから飛《と》んできます。雪の女王がカイにもう一度キスをすると、カイはゲルダのことも、おばあさんのことも、家にいるみんなのことも、忘《わす》れてしまいました。

「さあ、もうキスはおしまい」と雪の女王が言いました。「またキスをしたら、おまえは死んでしまうからね」

カイは雪の女王を見つめました。とても美しい人でした。もっと賢《かしこ》そうできれいな顔など、想像《そうぞう》もできません。いつだったか、窓《まど》の外にいて手招《てまね》きをしたときと違《ちが》って、いまでは氷でできているようには見えませんでした。カイの目には、非《ひ》の打ちどころのない人にうつりました。もう怖《こわ》いとは感じません。そこで、自分は分数の暗算までできることや、あらゆる国の面積《めんせき》や人口を知っていることを話しました。そのあいだ、雪の女王はずっとにこやかでした。でも、カイが自分の知っていることだけでは足りないような気がして、広い空を見上げると、雪の女王はカイを連《つ》れて黒い雲の上へ飛《と》んでいきました。嵐《あらし》が音を立てて吹《ふ》き荒《あ》れています。まるで古い歌を歌っているようでした。

ふたりは森や、湖や、海や、陸《りく》を越《こ》えて飛《と》びました。下のほうでは、冷《つめ》たい風がびゆうびゅう吹《ふ》き、オオカミが吠《ほ》え、雪がきらめいています。その上を、黒いカラスがけたたましく鳴きながら飛《と》んでいきました。けれど、こうしたすべての上には、月がくっきりと明るく輝《かがや》いています。カイは長い長い冬の夜、その月をずっと眺《なが》めていました。そして、昼間は雪の女王の足もとで眠《ねむ》っていたのです。

三つめのお話

魔法《まほう》を使うおばあさんの花園《はなぞの》

さて、ゲルダはどうしていたでしょうか？　カイは帰ってこなかったのです。どうなってしまったのでしょう？　だれも知りません。だれも教えてくれませんでした。男の子たちは、カイが自分の小さなソリをとても大きなソリに結《むす》びつけて、通りを抜《ぬ》けて町の門から出ていくのを見たと言うばかり。カイがどうなったのか、知っている人はだれもいません。たくさんの人たちが涙《なみだ》を流しました。ゲルダはいつまでも悲しんで泣《な》きました。そのうち、カイは死んだのだと、みんなが言うようになりました。町のそばを流れている川でおぼれてしまったのだと。ああ、なんて長くて暗い冬の日々だったことでしょう！

それでも、やがて春がやってきて、暖《あたた》かな陽射《ひざ》しが戻《もど》ってきました。

「カイは死んでいなくなっちゃったの」ゲルダは言いました。

「そうは思いませんよ」お日さまが答えました。

「カイは死んでいなくなっちゃったの」ゲルダはツバメたちに言いました。

「そうは思わないけど」ツバメたちが答えました。そのうち、ゲルダもそうは思わなくなりました。

「新しい赤い靴《くつ》をはいていこう」ある朝、ゲルダは言いました。「あれはカイにまだ見せてないんだもの。そして、川まで行って、カイのことを聞いてみよう」

まだ夜が明けたばかりのころ、ゲルダは眠《ねむ》っているおばあさんにキスをすると、赤い靴《くつ》をはき、たったひとりで町の門を出て、川へ行きました。

「あなたがあたしの遊び友だちを取ってしまったって、本当？　もし返してくれたら、あたしの赤い靴《くつ》をあなたにあげる！」

不思議《ふしぎ》なことに、川の波がうなずいたように見えたので、自分のもののなかで一番大好《だいす》きな赤い靴《くつ》を脱《ぬ》いで、両方とも川に投げました。けれど、岸のそばに落ちたため、小さな波がそれを岸まで押《お》し返《かえ》してきたのです。まるで、ゲルダの一番大事なものは受け取れないよと言っているようでした。そう、川がカイを取ってしまったわけではないのですからね。でも、ゲルダは靴《くつ》をちゃんと遠くへ投げなかったせいだと思いました。そこで、アシのあいだに置《お》いてあるボートに乗ると、その端《はし》っこまで行って、また靴《くつ》を川に投げました。ところが、ボートはちゃんとつながれていなかったので、ゲルダが動いたはずみで岸から離《はな》れてしまいました。それに気づいたゲルダはあわてて戻《もど》ろうとしましたが、岸に近い端《はし》っこまで着かないうちに、ボートは水ぎわから一メートル近くも離《はな》れ、すいすいと滑《すべ》り出《だ》してしまったのです。

ゲルダはとても驚《おどろ》いて、泣《な》き出《だ》してしまいましたが、だれにも聞こえません。スズメたちだけは気づきましたが、ゲルダを岸へ運ぶことはできず、川沿《かわぞ》いに飛《と》びながら、ゲルダを慰《なぐさ》めるようにこうさえずるばかりでした。「わたしたち、ここにいるからね！　わたしたち、ここにいるからね！」ボートは流れに任《まか》せて流れていきます。ゲルダは靴下《くつした》のまま、じっと座《すわ》っていました。小さな赤い靴《くつ》は後ろから漂《ただよ》ってきますが、ボートのほうが速く進むので、追いつけません。

川の両側《りょうがわ》はとてもきれいでした。美しい花が咲《さ》き、古い木がたくさんあって、羊や牛のいる丘《おか》も見えます。けれど、人はひとりも見当たりません。

「この川がカイのところへ連《つ》れていってくれるかもしれないわ」とゲルダは思いま

した。すると、元気が出てきたので、立ち上がり、きれいな緑色の岸を何時間も眺《なが》めていました。

やがて、サクランボの大きな果樹園《かじゆえん》が見えてきました。小さな家があって、青と赤に塗《ぬ》られた奇妙《きみよう》な窓《まど》がついています。わらぶき屋根で、入口に木の兵隊《へいたい》がふたつ立ち、船で通りすぎる人たちに捧《ささ》げ銃《つつ》をしていました。

ゲルダは兵隊《へいたい》たちに呼《よ》びかけました。生きている兵隊《へいたい》さんだと思ったのです。けれど、おわかりのように、返事はありませんでした。ただ、兵隊《へいたい》たちはゲルダのすぐ近くにいました。川の流れがボートを岸に寄《よ》せてくれたのでしょう。

ゲルダはもっと大きな声で呼《よ》びかけてみました。すると、それはもう年をとったおばあさんが、杖《つえ》にすがって家から出てきました。とてもきれいな花の絵が描《えが》かれた、大きな日よけ帽《ぼう》をかぶっています。

「おや、お嬢《じよう》ちゃん、かわいそうに！」とおばあさんは言いました。「よくもまあ、これほど流れの速い川に浮《う》かんで、これほど遠いところまで来たもんだこと！」おばあさんは水のなかに入ると、杖《つえ》の頭をボートに引っかけて、岸へ寄《よ》せ、ゲルダを抱《だ》き上《あ》げてくれました。

ゲルダはまた乾《かわ》いた陸《りく》へ上がれたので、うれしかったのですが、この見知らぬおば

Arthur Rackham. 1932

あさんのことをちょっと怖《こわ》いと思いました。

「さて、おまえさんのことを話しておくれ。どうしてここへ来たんだね？」とおばあさんは言いました。ゲルダが話をするあいだ、おばあさんは首を振《ふ》りながら、「あらまあ！　あらまあ！」と言っていました。ゲルダはすっかり話し終わって、カイを見かけませんでしたかと尋《たず》ねました。すると、おばあさんは、そんな子はまだここに来ないけど、きっとじきに来るだろうから、悲しがってないで、サクランボを食べたり花を見たりしてればいいよ、と言いました。ここに咲《さ》いてる花は絵本よりも楽しくて、ひとつひとつがお話をしてくれるんだよ、と。そして、おばあさんはゲルダの手を取り、小さな家のなかへ連《つ》れていくと、入口の鍵《かぎ》をかけました。

その家の窓《まど》はとても高いところにあって、窓《まど》ガラスは赤や青や黄色でしたので、お日さまの光がいろいろな色になって不思議《ふしぎ》な感じでした。テーブルには見事なサクランボがのっていて、おばあさんがいくらでもお食べと言ってくれたので、ゲルダは好《す》きなだけたくさん食べました。食べているあいだ、おばあさんが金のくしでゲルダの髪《かみ》をとかすと、髪《かみ》の毛《け》がカールして、きれいな金色に輝《かがや》き、咲《さ》き誇《ほこ》るバラの花のような丸くてかわいい小さな顔を縁《ふち》取《ど》りました。

「おまえさんのようなかわいい女の子が、ずっと前からほしかったんだよ」とおばあさんは言いました。「ふたりで仲良《なかよ》く暮《く》らしていこうじゃないか」

おばあさんがゲルダの髪《かみ》をとかしていくうちに、ゲルダは遊び友だちのカイのことを忘《わす》れていきました。というのも、このおばあさんは魔法《まほう》を使うことができたからです。ただ、悪い魔法使《まほうつか》いではありません。自分だけの楽しみに、ちょっとした魔法《まほう》をかけるだけです。いまは、ゲルダをそばに置《お》いておきたいと思ったにすぎませんでした。そこで、庭へ出ると、バラの茂《しげ》みのほうへ杖《つえ》を伸《の》ばしました。すると、美しく咲《さ》いていたバラがみんな、黒い土のなかへ沈《しず》んでしまい、どこにバラがあったのか、だれにもわからなくなりました。おばあさんは、もしゲルダがバラを見たら、自分の家のバラが頭に浮《う》かんで、カイのことを思い出し、ここから逃《に》げてしまうのではないかと心配したのです。

そのあと、おばあさんはゲルダを花園《はなぞの》へ連《つ》れていきました。なんていい香《かお》り、なんてきれいなのでしょう！　知っているかぎりの花がそこにあって、いまを盛《さか》りと咲《さ》きほこっています。どの季節《きせつ》の花もありますし、絵本よりも華《はな》やかできれいです。ゲルダは小躍《こおど》りして喜《よろこ》び、お日さまがのっぽのサクランボの木の向こうに沈《しず》むまで遊びました。そのあと、青いスミレをつめた赤い絹《きぬ》の枕《まくら》のかわいいベッドに入って、そこで眠《ねむ》り、結婚式《けっこんしき》のときの女王さまのように幸せな夢《ゆめ》を見ました。

あくる日も、ゲルダは暖《あたた》かい陽射《ひざ》しに包《つつ》まれて花と遊びました。こうして、何日もすぎていくうちに、ゲルダは花をみんな覚《おぼ》えてしまいました。でも、いくらたくさんの花があっても、何かひとつ足りないような気がするのです。ただ、それが何なのかはわかりません。ある日、座《すわ》っていたゲルダは、花の絵が描《えが》いてあるおばあさんの日よけ帽《ぼう》を眺《なが》めていました。そのなかで一番きれいなのは、バラでした。おばあさんは庭のバラをみんな地面の下に隠《かく》しましたが、自分の帽子《ぼうし》からバラを消すのを忘《わす》れていたのです。ついうっかりすることって、ありますよね。

「あら、ここにはバラがないの?」ゲルダは大声をあげました。

そして、花壇《かだん》のあいだを歩きまわり、あちらこちらを探《さが》しましたが、ひとつも見つかりません。しまいには、しゃがみこんで泣《な》いてしまいました。すると、その熱《あつ》い涙《なみだ》がちょうどバラの木の埋《う》まっているところに落ちました。そして、温かい涙《なみだ》が土を濡《ぬ》らすと、バラの木が沈《しず》んだときのように花を咲《さ》かせたまま、ふたたび出てきたのです。ゲルダはバラの木に抱《だ》きついて、花にキスをしました。そのとき、家のきれいなバラを思い出し、いっしょにカイのこともよみがえってきました。

「あら、あたしったら、どうしてここでぐずぐずしてるのかしら!」ゲルダは言いました。「カイを探《さが》さなきゃいけないのに! ねえ、カイがどこにいるか知ってる?」

ゲルダはバラに尋《たず》ねました。「死んじゃったと思う？」

「死んではいませんよ」とバラが言いました。「わたしたち、地面の下にいたんです。そこには死んだ人がみんないたけれど、カイはいませんでしたから」

「ありがとう」ゲルダはお礼を言うと、ほかの花のところへ行き、花びらのなかをのぞいて尋《たず》ねました。「カイがどこにいるか知ってる？」

ところが、どの花もひなたぼっこをしながら、自分の好《す》きなことや夢《ゆめ》みたいなことばかりを考えていました。ゲルダはそんな花たちの話をたくさん聞きましたが、だれもカイのことを知りません。

たとえば、オニユリはなんと言ったでしょうか？

「太鼓《たいこ》のドンドン鳴る音が、聞こえる？　たったふたつの音しかないのよ。いつも、ドンドンって！　女の人たちが歌うお葬式《そうしき》の歌をお聞き！　司祭《しさい》さまの声をお聞き！長くて赤い服をまとったヒンズー教徒《きょうと》の女の人が、火葬《かそう》のための薪《まき》の上に立ってるわ。その女の人と、死んだご主人のまわりに、炎《ほのお》が燃《も》え上《あ》がるの。でも、ヒンズー教徒《きょうと》の女の人が考えているのは、そのまわりを取《と》り巻《ま》いている人たちのなかにいる、生きているある男の人のことよ。その男の人の目は、炎《ほのお》よりも熱《あつ》く燃《も》えているわ。その視線《しせん》は、女の人の心のなかで燃《も》えるの。じきに女の人の体を焼《や》いて灰《はい》にする炎《ほのお》よりも、もっと激《はげ》しく。心の炎《ほのお》は、火葬《かそう》のための薪《まき》の炎《ほのお》のなかで消えてしまうかしら？」

「何を言ってるのか、さっぱりわからないわ！」ゲルダは答えました。

「これがわたしのお話なの」とオニユリは言いました。

さて、トランペットフラワーはなんと言っているでしょう？

「細い山道に迫《せま》るように、古いお城《しろ》がそびえているの。その崩《くず》れかけた赤い壁《かべ》にはツタがはっていて、葉っぱがバルコニーまで伸《の》びているのよ。そして、そこに美しいお姫《ひめ》さまが立っているの。お姫《ひめ》さまは手すりに身を乗り出して、山道を見つめているわ。どんな一輪《りん》のバラも、このお姫《ひめ》さまの清《きよ》らかさにはかなわないし、風に舞《ま》うどんなリンゴの花も、このお姫《ひめ》さまの軽《かろ》やかさにはかなわないの。その贅沢《ぜいたく》な絹《きぬ》の衣《きぬ》ずれの音といったら！「あの方はいらっしゃらないのかしら？」」

「あの方って、カイのこと？」ゲルダは聞きました。

「わたしは自分の話をしているだけよ。わたしの夢《ゆめ》なの」これがトランペットフラワーの返事でした。

次に、スノードロップはなんと言ったでしょうか？

「二本の木のあいだに、板が綱《つな》でつるしてあってね。それはブランコなの。そこに座《すわ》って揺《ゆ》れているのは、かわいい女の子ふたりで、雪のように真っ白な服を着ていて、緑色の絹《きぬ》のリボンのついた帽子《ぼうし》をかぶっているのよ。ふたりのお兄さんはそのブランコに立ち乗りしているんだけど、腕《うで》を綱《つな》にからませて体を支《ささ》えているの。だって、片《かた》手《て》に小さなお椀《わん》、もう一方の手に陶《とう》でできたパイプを持って、シャボン玉を吹《ふ》いているからよ。ブランコが揺《ゆ》れて、シャボン玉がいろいろなきれいな色に変《か》わりながら、空に飛《と》んでいくわ。最後《さいご》のシャボン玉はまだパイプのくぼみにぶら下がっていて、風にゆらゆらしているの。ブランコは前へ後ろへと揺《ゆ》れているわ。シャボン玉みたいに軽そうな小さくて黒い犬が、後ろ足で立って、ブランコに乗せてもらいたがっているの。でも、ブランコが動くものだから、犬は転んじゃって、怒《おこ》って吠《ほ》えるのよ。そして、シャボン玉がはじけるの。揺《ゆ》れるブランコと、きらめく泡《あわ》。それがわたしの歌！」

「とてもすてきかもしれないわ、あなたのお話は。でも、ひどく悲しそうに話すのね。それに、カイのことを何も話してくれないわ」

では、ヒヤシンスはなんと言うでしょうか？

「あるところに三人の美しい姉妹《しまい》がおりました。透《す》き通《とお》るような肌《はだ》の、かよわい方たちでした。ひとりは赤、もうひとりは青、三人めは真っ白な服を着ていました。明るいお月さまの光を浴《あ》びながら、三人は静《しず》かな湖のほとりで手を取り合って踊《おど》りました。三人とも妖精《ようせい》ではありません。人間の子です。あたりには、とても甘《あま》い香《かお》りが漂《ただよ》っていました！　娘《むすめ》たちが森のなかへ姿《すがた》を消しても、香《かお》りはいっそう甘《あま》さを増《ま》してきます。すると、三つの棺《ひつぎ》が森の茂《しげ》みから出てきて、湖の上を滑《すべ》っていきました。棺《ひつぎ》のなかにいるのは、三人の美しい娘《むすめ》たちです。そのまわりをホタルが小さな明かりのように光りながら飛《と》びまわっています。踊《おど》っていた娘《むすめ》たちは眠《ねむ》っているのでしょうか？　それとも、死んでいるのでしょうか？　花の香《かお》りが言うには、三人は亡《な》くなったのです。夕べの鐘《かね》がお弔《とむら》いを告《つ》げて鳴っています！」

「あなたのお話を聞いていたら、ものすごく悲しくなっちゃった」ゲルダは言いました。「あなたの香《かお》りはとても強いのね。死んでしまった娘《むすめ》さんたちのことを、思い出してしまうわ。ああ！　カイはほんとに死んじゃったの？　バラさんたちは地面の下にいたことがあって、死んではいないって言うんだけど」

「チリン、チリン！」ヒヤシンスの鐘《かね》が鳴りました。「わたしたちはカイのために鳴っているんじゃないの。カイのことは知らないわ。自分たちの歌を歌っているだけなの。それしか知らないんだもの」

そこで、ゲルダはキンポウゲのところへ行きました。キンポウゲは緑の葉っぱのあいだから輝《かがや》く顔を出していました。

「あなたは明るい小さなお日さまみたいね」ゲルダは声をかけました。「もし知っていたら、教えてちょうだい。あたしのお友だちはどこで見つかるかしら？」

キンポウゲはいっそう華《はな》やかに輝《かがや》き、あらためてゲルダを見つめました。キンポウゲはどんな歌を歌えたでしょう？　でも、それはカイのことではなかったのです。

「春になって初《はじ》めての日、小さな中庭を、神さまの明るいお日さまが暖《あたた》かく照《て》らしていました。お日さまの光は、隣《となり》の家の白い壁《かべ》にまでこぼれています。そのそばに、春になって最初《さいしょ》の黄色い花が咲《さ》きました。明るいお日さまの光を浴《あ》びて、金色に輝《かがや》いています。玄関《げんかん》の外の椅子《いす》に、おばあさんが腰《こし》かけていました。おばあさんにはきれいな孫娘《まごむすめ》がいて、貧《まず》しいのでお手伝いさんをしているのですが、短いお暇《いとま》をもらって帰ってきたところです。孫娘《まごむすめ》はおばあさんにキスをしました。この幸いなるキスには金の価値《かち》があります。心のこもった金です。唇《くちびる》にも金、地面にも金、朝の時間にも金。どうかしら、これがわたしのお話よ」とキンポウゲは言いました。

「かわいそうなおばあさん！」ゲルダはため息をつきました。「そうよ、きっとあたしに会いたくて、悲しんでいるわ。カイに会いたくて悲しんだときみたいに。でも、あたしはもうすぐ家へ帰るの。カイを連《つ》れて。花たちに聞いてもだめね。自分たちの歌しか知らないから、何も教えてくれないんだもの」

そこで、ゲルダは速く走ろうと服の裾《すそ》をたくし上げました。ところが、スイセンを飛《と》び越《こ》えたとき、その花が足に当たったので立ち止まり、背《せ》の高いその花を見て尋《たず》ねました。「もしかして、何か知っているの？」

そして、その花のほうへ身をかがめました。スイセンはなんと言ったでしょうか？

「わたし、自分が見えるわ！　わたし、自分が見えるわ！」スイセンは言いました。

「まあ！　まあ！　わたしはなんて甘《あま》い香《かお》りなんでしょう！　上の狭《せま》い屋根裏《やねうら》部屋で、小さな踊《おど》り子《こ》が衣裳《いしょう》をつけているところなの。片足《かたあし》で立ったり、両足で立ったりしながら。世界中を歩いているように見えるのよ。そんな気がしているだけなんだけれど。そして、ティーポットから小さな布《ぬの》に水を注ぐの。それはコルセットよ。「きれい好《ず》きなのは、いいことね」って踊《おど》り子《こ》は言うわ。白いドレスがフックにかかっているんだけど、それもティーポットのなかで洗《あら》って、屋根で乾《かわ》かしたのよ。踊《おど》り子《こ》がそれを着て、サフラン色のスカーフを首に巻《ま》くと、ドレスの白さがいっそう引き立つの。さあ、爪先《つまさき》で立って！　見てよ、茎《くき》の上に立っているみたいでしょ！　わたし、自分が見えるわ！　わたし、自分が見えるわ！」

「そんなこと、どうでもいいの！」ゲルダは言いました。「あなたが話すことなんて、なんの役にも立たないわ！」

それから、ゲルダは庭のはずれまで走っていきました。戸には鍵《かぎ》がかかっていましたが、さびた掛《か》け金《がね》をぎゅっと押《お》すと、それがはずれて戸がさっと開きました。ゲルダははだしのまま、広い世界へ走り出しました。三度も後ろを振《ふ》り返《かえ》ってみましたが、追いかけてくる人はだれもいません。とうとう、もう走れなくなったので、大きな石に腰《こし》を下ろしました。あたりを見まわすと、もう夏は終わって、秋もだいぶすぎています。あの美しい庭にいたら、だれだって気づきはしないでしょう。いつもお日さまが照《て》っていて、いつも四季《しき》の花が咲《さ》きほこっているのですから。

「なんてこと！　こんなに時間を無駄《むだ》にしちゃって！」とゲルダは言いました。「もう秋じゃないの！　こうしちゃいられないわ」

ゲルダは立ち上がって、歩き出しました。小さな足がどれほど痛《いた》くて、くたくたになったことでしょう！　あたりは物寂《ものさび》しく、ひどく寒々としています。長い柳《やなぎ》の葉はすっかり黄色くなり、霧《きり》が木を伝《つた》って雨のようにしたたっています。そして、葉っぱが一枚《まい》、また一枚《まい》と散《ち》っていくのでした。まだ実がついているのはブラックソーンだけですが、その実は酸《す》っぱくて、口をすぼませずにはいられません。

ああ、この広い世界はなんて灰色《はいいろ》で重苦しいのでしょう！

四つめのお話

王子と王女

まもなく、ゲルダはまた休まなければならなくなりました。すると、ゲルダが座《すわ》っているすぐ前の雪の上を、ぴょんぴょんと飛《と》びはねてくるものがありました。大きなカラスです。カラスは立ち止まって、長いあいだゲルダを見ながらうなずいていましたが、やがて、「カア！　カア！　こーにちは！　こーにちは！」と言いました。もっと上手に言えなかったのですが、この女の子にやさしくしてあげたかったのです。そして、この広い世界をひとりぼっちでどこへ行くのか尋《たず》ねました。ゲルダは「ひとり」という言葉がとてもよくわかりましたし、そこにどれほどの気持ちがこめられているかを感じたので、これまでの自分のことを何もかもカラスに話し、カイを見かけなかったかどうか聞きました。

カラスは重々しくうなずいて、言いました。

「あれかもしれない！　あれかもしれない！」

「まあ、そうなの？」ゲルダは大きな声で言うと、カラスに思いきりキスをしたので、カラスを窒息《ちっそく》させてしまいそうでした。

「ほらほら、落ち着いて！」とカラスは言いました。「やっぱり、そうだと思いますよ。あれはきっとカイでしょうね。でも、いまは王女さまにかかりきりで、あなたのことは忘《わす》れてしまっているようです」

「カイは王女さまと暮《く》らしているの？」ゲルダは聞きました。

「そうですとも。まあ、お聞きなさい！」カラスは言いました。「でも、あなたの言葉で話すのは、ひどく骨《ほね》が折《お》れましてね。あなたにカラスの言葉がわかるなら、もっと上手に話せるんですが」

「ううん、それは知らないの」ゲルダは言いました。「でも、あたしのおばあさんはわかるのよ。その言葉で話もできるの。あたしも習っておけばよかったな」

「大丈夫《だいじょうぶ》ですよ」とカラスは言いました。「できるだけがんばって話しますから。あんまり上手にはできないでしょうが」

こうして、カラスは知っていることをゲルダに話しました。

「いまぼくたちがいるこの国には、王女さまがひとりいらっしゃって、それはもう賢《かしこ》いお方なんです。なにしろ、世界中の新聞をくまなく読んで、それをまた忘《わす》れてしまうという、それほど賢《かしこ》いお方なんですよ。先ごろ、王座《おうざ》におつきになりましたが、それはあまり楽しくないという、そんな話でして。ある歌を口ずさむようになられたんですが、こんな歌なんです。

なぜわたしは結婚《けっこん》してはいけないの？

そして、「そうよ、結婚《けっこん》したっていいじゃないの！」とおっしゃると、さっそく結《けっ》婚《こん》なさりたくなりました。ですが、話しかけたらちゃんと答えられるお相手をお望《のぞ》みでした。ただ突《つ》っ立《た》って、かっこよく見せているだけでは、いけません。そんな人は退屈《たいくつ》ですからね。そこで、女官《にょかん》たちを集めて、ご自分の望《のぞ》みを話すと、女官《にょかん》たちは喜《よろこ》びました。「まあ、よろしいじゃございませんの」とみんなは言いました。「そうなさったらよろしいのにと、思っていたところですのよ」とね。いいですか、ぼくが話す言葉はひとつひとつ間違《まちが》いないんですよ」とカラスは念《ねん》を押《お》しました。「ぼくには飼《か》い主《ぬし》のいる恋人《こいびと》がいて、お城《しろ》のなかを自由に歩きまわれるので、いろいろ話してくれたんです」

もちろん、その恋人《こいびと》もカラスでした。類《るい》は友を呼《よ》ぶといって、カラスにはいつだってカラスがお似合《にあ》いですからね。

「というわけで、さっそく新聞が出されました。ハートと王女さまの頭文字《かしらもじ》で縁取《ふちど》られた新聞です。そこには、こう書いてありました。見目麗《うるわ》しい青年なら、お城《しろ》へ来て王女さまとお話ができるし、しかも、心からくつろいで楽しく話ができたら、王女さまがお婿《むこ》さんに選《えら》ぶでしょうと。そう、そうなんですよ」とカラスは言いました。

「ぼくを信《しん》じてくださいね。ぼくがここに立っていることと同じように、本当なんですから。すると、たくさんの若者《わかもの》がぞくぞくとやってきました。たいへんな混雑《こんざつ》ぶりで、忙《いそが》しいったら、ありゃしませんでしたよ。でも、最初《さいしょ》の日も、二日めも、だれも王女さまのお眼鏡《めがね》にかないませんでした。町なかにいるときにはとても上手に話せるのに、お城《しろ》の門をくぐって、銀で身を固《かた》めた番兵《ばんぺい》を見たり、階段《かいだん》の上で金の服を着た家来に会ったり、明かりにきらめく広間に入ったりすると、みんなうろたえてしまうんです。そして、王女さまが座《すわ》っていらっしゃる玉座《ぎょくざ》の前に立つと、王女さまがおっしゃった最後《さいご》の言葉を繰《く》り返《かえ》すばかりでね。王女さまはご自分の言ったことをもう一度聞きたくなんかないですよ。

どうやら、王女さまの前にいると、だれもが眠《ねむ》り薬《ぐすり》を飲んだかのようにぼんやりしてしまって、お城《しろ》の外に出て初《はじ》めてちゃんと口がきけるようになるみたいでした。若者《わかもの》たちは町からお城《しろ》までずらりと列を作って並《なら》びましてね。ぼくもこの目で見たんですよ」とカラスは言いました。「みんな、おなかが減《へ》って、喉《のど》がかわきましたが、お城《しろ》ではなまぬるい水一杯《ぱい》すらもらえません。なかには頭のいいのがいて、バターを塗《ぬ》ったパンを持ってきていましたが、近くの人たちに分けてやろうとはしませんでした。「ひもじそうにさせておこう。そうすれば、王女さまはこいつを選《えら》びはしないさ！」と考えたからなんですよ」

「ねえ、カイは？　カイはどうしたの？」ゲルダは口をはさみました。「いつ来たの？　その列のなかにいた？」

「お待たせ！　お待たせ！　ちょうどこれから話すところですよ。三日めのこと、ひとりの少年が馬にも馬車にも乗らずに、とても楽しそうにお城《しろ》へ歩いてきました。目はあなたの目のように輝《かがや》いていて、きれいな長い髪《かみ》をしていたけれど、服はみすぼらしかったんです」

「それ、カイよ！」ゲルダはうれしくなって大きな声で言いました。「ああ、これでやっと見つかったのね！」ゲルダは手をパチパチ叩《たた》きました。

「小さなナップザックをしょっていましたよ」カラスが言いました。

「ううん、それはソリだったんじゃないかしら」ゲルダは言いました。「だって、カイはソリに乗って行っちゃったんだもの」

「そうだったかもしれません」カラスは言いました。「ぼくはあまりよく見ていなかったものですから。でも、飼《か》い主《ぬし》のいるぼくの恋人《こいびと》から聞いたので、これだけはわかりますよ。その少年はお城《しろ》の門をくぐって、銀で身を固《かた》めた番兵《ばんぺい》を見ても、階段《かいだん》の上で金の服を着た家来を見ても、まったく物おじしなかったんです。なんと、うなずいたあとで、こう言ったらしいですよ。「階段《かいだん》の上に立っているなんて、退屈《たいくつ》でしょうね。では、なかへ入らせていただきま」ってね。

広間にはこうこうと明かりがともり、お城《しろ》の相談役や大臣《だいじん》たちが素足《すあし》で歩きまわって、金の器《うつわ》を運んでいます。それだけで、だれだって緊張《きんちょう》してしまいますよ！　そこへ、この少年は靴《くつ》を大きく響《ひび》かせて入っていったんですが、少しもひるんでいなかったそうです」

「やっぱり、カイに違《ちが》いないわ！」ゲルダは言いました。「新しい靴《くつ》を持っていたもの。おばあさんの部屋で、キュッ、キュッ、キュッって鳴ったのよ」

「ええ、確《たし》かに、キュッ、キュッと鳴りました」とカラスは言いました。「そして、しっかりした足取りで王女さまのところへ進みました。王女さまは糸をつむぐ車くらいもある大きな真珠《しんじゅ》の上に腰《こし》かけていらっしゃいました。そのまわりには、侍女《じじょ》たちや、その小間使いや、その小間使いの小間使いのほかに、家来たちや、その家来の召《めし》使《つか》いや、その召使《めしつか》いの召使《めしつか》いが立っていて、さらに、その召使《めしつか》いにはひとりずつ使い走りがついているんです。入口近くに立っている者ほど、偉《えら》ぶった顔をしていました。召使《めしつか》いの召使《めしつか》いの使い走りは、いつも軽い靴《くつ》をはいて動きまわっているんですが、このときはひどく威張《いば》って入口に立っていたので、だれもまともにその顔を見られないほどだったとか！」

「さぞかし怖《こわ》かったことでしょう！」ゲルダは言いました。「それでも、カイは王女さまと結婚《けっこん》できたの？」

「カラスじゃなかったら、ぼくだって王女さまと結婚《けっこん》しますよ。まあ、ぼくは婚約《こんやく》しているんですけどね。その少年は、ぼくがカラスの言葉を話すときみたいに、上手に話をしたそうです。これも、飼《か》い主《ぬし》のいるぼくの恋人《こいびと》から聞いたんです。その少年は明るくて楽しい人でね。王女さまに結婚《けっこん》を申しこむために来たんじゃなくて、賢《かしこ》いという王女さまと話をしたかったようです。そして、王女さまをすてきだと思い、王女さまもその少年をすてきだと思ったんです」

「そうよ、やっぱりカイだったんだわ！」ゲルダは言いました。「カイはとても賢《かしこ》くて、分数の暗算までできるのよ。ねえ、あたしをお城《しろ》へ連《つ》れていってくれない？」

「いいですとも。口で言うのは簡単《かんたん》ですからね」カラスは言いました。「でも、どんなふうにしたらいいかな？　飼《か》い主《ぬし》のいるぼくの恋人《こいびと》に、相談してみましょうか。たぶん、うまい方法《ほうほう》を考えてくれると思いますから。ただ、言っておきますが、あなたのような小さい女の子がお城《しろ》へ入ることは、絶対《ぜったい》に許《ゆる》されないんですよ！」

「あら、それは大丈夫《だいじょうぶ》よ」ゲルダは言いました。「あたしが来たことをカイが聞いたら、きっとすぐに出てきて、入れてくれるはずだもの」

「では、あそこの踏《ふ》み段《だん》で待っていてください」カラスはそう言って、頭を振《ふ》ると、飛《と》んでいきました。

夕方だいぶ遅《おそ》くなったころ、カラスが戻《もど》ってきました。

「カア！　カア！」とカラスは鳴きました。「ぼくの恋人《こいびと》からよろしくとのことですよ。そして、ほら、パンを少しどうぞ。ぼくの恋人《こいびと》がお城《しろ》の台所から持ってきたんです。そこにはパンがどっさりあるんです。きっとあなたはおなかがすいているでしょう。お城《しろ》に入るのはとても無理《むり》でしょうね。あなたは靴《くつ》をはいてないし、銀に身を固《かた》めた番兵《ばんぺい》も、金の服を着た家来も、許《ゆる》してくれないでしょうから。でも、泣《な》かないで。なんとか入れてあげますから。ぼくの恋人《こいびと》は、寝室《しんしつ》へ上がる小さな裏階段《うらかいだん》を知っているんです。それに、鍵《かぎ》の置《お》き場所《ばしょ》だってわかっているんですよ」

というわけで、カラスとゲルダは庭へ入り、大きな並木道《なみきみち》を歩きました。葉っぱが一枚《まい》、また一枚《まい》と散《ち》っていきます。お城《しろ》の明かりがひとつ、またひとつと消えたころ、カラスはゲルダを裏《うら》の入口へ連《つ》れていきました。扉《とびら》が少し開いています。

ああ、不安《ふあん》と期待で、ゲルダはどんなにどきどきしたことでしょう！　何か悪いことをしようとしているみたいですが、ゲルダはその少年がカイかどうか知りたかっただけなのです。ええ、きっとカイに違《ちが》いありません。カイの賢《かしこ》そうな目と長い髪《かみ》が、ありありと目に浮《う》かんできました。家のバラの下に座《すわ》っていたときのように、カイがにこにこしている姿《すがた》が見えるようでした。カイはゲルダに会って、自分のためにゲルダがどれほど遠くまで来たかを聞き、自分が帰ってこないのでみんながどれほど悲しがっているかを知ったら、きっと喜《よろこ》んでくれるでしょう。ああ、不安《ふあん》と喜《よろこ》びでいっぱいです！

さて、カラスとゲルダは階段《かいだん》の上に着きました。小さなランプが戸棚《とだな》の上にともっています。部屋の真ん中に、飼《か》われているカラスが立っていて、頭をあちこちへまわしながら、ゲルダを見つめました。ゲルダはおばあさんから教わったように、体をかがめてお辞儀《じぎ》をしました。

「わたくしのいいなずけが、あなたのことをとても褒《ほ》めておりましてよ、かわいいお嬢《じょう》さん」とお城《しろ》で飼《か》われているカラスが言いました。「あなたのいわゆる履歴《りれき》というものは、なんていじらしいのでしょう。さあ、そのランプを持っていただけます？

ご案内《あんない》いたしますわ。ここをまっすぐに行きますと、だれにも会いませんの」

「だれかがあとから来るような気がするわ」ゲルダは言いました。何かが横をさっと通《とお》り抜《ぬ》けていった感じがしたのです。壁《かべ》にうつった影《かげ》みたいなもので、たてがみをなびかせた細い脚《あし》の馬とか、猟師《りょうし》とか、馬に乗った紳士《しんし》や貴婦人《きふじん》でした。

「あれはただの夢《ゆめ》ですのよ」お城《しろ》のカラスが言いました。「ご身分の高い方々を頭のなかで狩《か》りに誘《さそ》いにきていますの。いっそう都合がよろしくなりましたわ。目当てのお方がベッドで休んでおられるところをじっくりとご覧《らん》になれるでしょうから。そうそう、あなたがご身分の高い方に気に入られてご出世なさったら、お礼の気持ちを表してくださいますように」

「いやいや、そんなことは言うもんじゃないよ!」と森のカラスが言いました。

さあ、ゲルダたちは最初《さいしょ》の広間に入りました。壁《かべ》には花の刺繡《ししゅう》がほどこされたバラ色の繻子《しゅす》がかかっています。ここでもまた、先ほどの夢《ゆめ》が軽《かろ》やかに通りすぎていきましたが、目にもとまらぬ速さだったので、ゲルダには身分の高い紳士《しんし》や貴婦人《きふじん》の姿《すがた》が見えませんでした。広間を次々に抜《ぬ》けましたが、そのたびに、どの部屋もいっそうすばらしくなっていきます。もう言葉も出ないほどでした! やがて、寝室《しんしつ》に着きました。ここの天井《てんじょう》は、大きなシュロの木の形をしていて、木にはガラスの葉っぱがつい

ており、そのガラスは高価《こうか》そうでした。床《ゆか》の真ん中にベッドがふたつ、金の茎《くき》に咲《さ》いたユリのようにつるされています。ひとつは白くて、そこには王女さまが休んでいました。もうひとつは赤く、こちらにゲルダの探《さが》しているカイがいるのでしょう。ゲルダが赤い花びらをひとつ脇《わき》に寄《よ》せると、日焼《ひや》けしたうなじが見えました。ああ、カイです！　ゲルダは大きな声で名前を呼《よ》び、ランプをかざしました。とたんに、先ほどの夢《ゆめ》が馬に乗って、さっと部屋を通ったかと思うと、その人が目を覚《さ》まし、顔をゲルダに向けました。なんと、それはカイではありません！

王子はうなじだけカイに似《に》ていたのです。見目麗《うるわ》しい青年でした。そこへ、王女さまが白いユリのベッドから顔をのぞかせて、目をぱちくりさせ、どうしたのかと尋《たず》ねました。ゲルダは泣《な》きながら、これまでのいきさつや、カラスたちがしてくれたことを、何もかも話しました。

「かわいそうに！」と王子さまと王女さまが言いました。

そして、カラスたちを褒《ほ》めて、怒《おこ》ってはいないけれど、こんなことは二度としないようにと言いました。それでも、カラスたちはご褒美《ほうび》をもらったんですよ。

「あなたたちは自由に飛《と》びまわりたいかしら？」と王女さまは聞きました。「それとも、お城《しろ》のカラスという一生のお仕事について、お台所の残《のこ》り物《もの》をいただけるようになりたい？」

　すると、二羽《わ》のカラスはお辞儀《じぎ》をして、一生の仕事のほうをお願《ねが》いしました。年をとったときのことを考えたからです。そして、「年寄《としよ》りになったときのために備《そな》えがあるというのは、とても安心ですので」と言いました。

　そのあと、王子さまはベッドから出ると、ゲルダをそこに寝《ね》かせました。これ以上《いじょう》の親切はありません。ゲルダは小さな手を合わせて、「人も動物も、なんてやさしいのかしら！」と思いながら目をつぶり、やすらかな眠《ねむ》りにつきました。すると、先ほどのような夢《ゆめ》がひょいと戻《もど》ってきたのです。それは神さまの天使たちのようで、小さなソリを引いていました。そのソリにはカイが座《すわ》っていて、うなずいています。けれど、これはみんなただの夢《ゆめ》なので、目が覚《さ》めるとすぐに消えてしまいました。

　あくる日、ゲルダは頭から足のつま先まで、絹《きぬ》とベルベットの服を着せられました。そして、このままお城《しろ》にいて、楽しく暮《く》らしたらどうかとすすめられました。でも、ゲルダは、小さな馬車と、馬を一頭と、小さな靴《くつ》を一足いただければ、それで十分ですと言いました。また広い世界へ出ていき、カイを探《さが》すつもりなのです。

　そこで、王子さまと王女さまは、ゲルダに靴《くつ》だけでなく、手を温めるマフもあげたので、ゲルダの服はきちんと整いました。やがて、いよいよ出発するときになると、混《ま》じりけのない金でできた新しい馬車が、玄関《げんかん》でゲルダを待っていました。そこについている星のように輝《かがや》くものは、王子さまと王女さまの紋章《もんしょう》です。馬車の御者《ぎょしゃ》や、お付《つ》きの者たちだけでなく、馬に乗る騎手《きしゅ》たちまで、そう、馬にも乗り手がいたのですが、みんな金の冠《かんむり》を頭にのせていました。王子さまと王女さまはじきじきにゲルダが馬車に乗るのを手伝《てつだ》い、ゲルダの幸運を祈《いの》ってくれました。森のカラスは、そのときはもう結婚《けっこん》していたのですが、そこから五キロほどお供《とも》をすると言って、ゲルダの隣《となり》に座《すわ》りました。後ろ向きの座席では、酔《よ》ってしまうからです。奥《おく》さんのカラスは玄関《げんかん》に立ち、パタパタと羽ばたきをしました。いっしょに行けなかったためなのですが、それは一生の仕事についてからというもの、食べ物がたくさんあるせいで、よく頭が痛《いた》くなるからでした。馬車の横には砂糖菓子《さとうがし》がどっさり並《なら》んでいて、座席《ざせき》の下には果《くだ》物《もの》やショウガ入りクッキーが置《お》いてありました。

「さようなら! さようなら!」王子さまと王女さまが大きな声で言いました。ゲルダは涙《なみだ》を流し、隣《となり》のカラスも涙《なみだ》を流しました。こうして五キロほど進むと、今度はカラスがさようならを言う番です。このときほど悲しいお別《わか》れはありませんでした。カラスは木に飛《と》び上《あ》がって、馬車が見えなくなるまで黒い翼《つばさ》を羽ばたいていました。馬車は明るいお日さまのように、きらきらと光を放っていました。

五つめのお話

追いはぎの娘《むすめ》

さて、馬車は暗い森のなかを通りました。馬車がたいまつのように光るので、追いはぎたちは目がくらみ、黙《だま》っていられなくなりました。

「金だぞ！　金だぞ！」と叫《さけ》びながら押《お》し寄《よ》せ、馬を捕《つか》まえて、馬に乗っている騎《き》手《しゅ》や、馬車の御者《ぎょしゃ》や、お付《つ》きの者たちを殺《ころ》すと、ゲルダを馬車から引きずりだしました。

「よく肥《こ》えて、かわいい子じゃ。[illegible]を食べて太ったんじゃろう！」と追いはぎのばあさんが言いました。ばあさんはもじゃもじゃの長いひげをはやしていて、眉毛《まゆげ》が目におおいかぶさっていました。「丸々とした子羊のようなもんじゃな。どんなにか、おいしかろうて！」

ばあさんはピカピカのナイフを引《ひ》き抜《ぬ》きました。恐《おそ》ろしい光を放っています。

「うわっ！」とたんに、ばあさんが叫《さけ》びました。ばあさんの娘《むすめ》が、耳にかみついたのです。娘《むすめ》はばあさんの背中《せなか》にしがみつき、獣《けもの》のように猛烈《もうれつ》に暴《あば》れています。「こらっ、このガキめ！」ばあさんは怒鳴《どな》りましたが、おかげでゲルダを殺《ころ》しそこないました。

「この子はあたいと遊ぶんだ！」追いはぎの娘《むすめ》は言いました。「この子はあたいにマフやきれいな服をくれて、あたいの寝床《ねどこ》でいっしょに寝《ね》るんだ！」

それから、またかみついたので、ばあさんは飛《と》び上《あ》がって、じたばたしました。それを見た追いはぎたちが、いっせいに笑《わら》って言いました。「見ろや、ばあさんがガキといっしょに踊《おど》ってやがる！」

「あたいは馬車に乗っていく！」と娘《むすめ》は言いました。

この娘《むすめ》はしつけなどされずに育ち、強情《ごうじょう》なので、言い出したら聞きません。ゲルダといっしょに馬車に乗りこむと、切《き》り株《かぶ》や岩を飛《と》び越《こ》えて森の奥深《おくふか》くへ入っていきました。追いはぎの娘《むすめ》はゲルダと同じくらいの大きさでしたが、力は強いし、肩幅《かたはば》も広く、褐色《かっしょく》の肌《はだ》をしています。目は真っ黒で、悲しげな感じです。娘《むすめ》はゲルダの腰《こし》に手をまわして、言いました。

「あたいはあんたと仲良《なかよ》しでいるうちは、あんたをやつらに殺《ころ》させないよ。あんたは王女さまだろ？」

「違《ちが》うわ」とゲルダは答えました。そして、これまでにあったことや、カイのことがどれほど好《す》きかということも、話しました。

追いはぎの娘《むすめ》はゲルダをじっと見つめたあと、小さくうなずいて言いました。

「あんたと仲良《なかよ》しじゃなくなっても、あんたをやつらに殺《ころ》させはしないよ。そうするくらいなら、自分でやる」

そして、ゲルダの涙《なみだ》をふき、とても柔《やわ》らかくて暖《あたた》かいきれいなマフのなかへ、ゲルダのふたつの手を入れてやりました。

まもなく、馬車が止まると、そこは追いはぎたちの根城《ねじろ》の中庭でした。その壁《かべ》は上から下まで割《わ》れ目《め》が入っていて、ぽっかりあいた穴《あな》から大ガラスや小ガラスが飛《と》び立《た》ちました。人間のひとりをまるごと呑《の》みこめそうなほど大きいブルドッグたちが、たくさん飛《と》びはねていますが、吠《ほ》えませんでした。吠《ほ》えないよう教えられていたからです。

すすだらけの古びた大広間には、石造《いしづく》りの床《ゆか》の真ん中に火が燃《も》えていました。煙《けむり》は天井《てんじょう》まで上がったあと、出口を探《さが》さなければなりません。大釜《おおがま》のなかでスープがぐつぐつ煮立《にた》ち、串《くし》に刺《さ》された野ウサギや家ウサギが焼《や》かれていました。

「今夜はあたいとここで寝《ね》るんだよ。あたいの小さな動物たちといっしょにね」と追いはぎの娘《むすめ》が言いました。

ふたりは食べたり飲んだりしたあと、わらと敷物《しきもの》のある隅《すみ》っこへ行きました。頭の上のほうには、横木や止まり木があって、ハトが百羽《わ》ぐらいとまっています。みんな眠《ねむ》っているように見えたものの、ふたりが行くとちょっと体を動かしました。

「みんな、あたいのなんだ」追いはぎの娘《むすめ》はそう言うと、近くにいた一羽《わ》をぱっとつかんで、足を持ち、揺《ゆ》さぶって羽ばたきをさせました。「キスしてやんな！」娘《むすめ》はそう叫《さけ》ぶなり、そのハトをゲルダの顔に押《お》しつけました。「あっちにいるのは森のならず者だよ」娘《むすめ》は続《つづ》けてしゃべりながら、壁《かべ》の高いところにある穴《あな》に釘《くぎ》で打ちつけてあるたくさんの横木を指さしました。「暴《あば》れ者《もの》の森バトでね、二羽《わ》いるんだけど、しっかり閉《と》じこめとかないと、たちまち飛《と》んで逃《に》げちゃうんだ。で、これがあたいの古い友だち、〝べー〟だよ」娘《むすめ》はトナカイを、その角を持って引きずり出しました。トナカイはピカピカに磨《みが》かれた銅《どう》の輪《わ》っかを首にはめられて、つながれていました。「こいつも、しっかりつないどかないと、逃《に》げてっちゃうんだ。毎晩《まいばん》、あたいが鋭《するど》いナイフでこいつの首をくすぐってやると、すごく怖《こわ》がるんだよ！」

そこで、娘《むすめ》は壁《かべ》の割《わ》れ目《め》から長いナイフを取り出し、トナカイの首筋《くびすじ》に滑《すべ》らせました。かわいそうなトナカイが脚《あし》をばたつかせると、追いはぎの娘《むすめ》はあっはっはと笑《わら》って、自分の寝床《ねどこ》にゲルダを引《ひ》っ張《ぱ》りこみました。

「寝《ね》るときもナイフを持っているの？」ゲルダはそう聞いて、ナイフをこわごわと

見やりました。

「いつもナイフといっしょに寝《ね》るんだよ」と追いはぎの娘《むすめ》は答えました。「何が起こるかわからないだろ。そういや、さっき話してくれたカイって子のこと、もう一度話してよ。どうしてあんたが広い世界へ出てきたのかってことも」

そこで、ゲルダはもう一度、最初《さいしょ》から話しました。頭の上で森バトがクークー鳴き、ほかのハトたちは眠《ねむ》りました。追いはぎの娘《むすめ》は一方の腕《うで》をゲルダの首にまわし、もう一方の手にナイフを握《にぎ》ったまま、やはり眠《ねむ》ってしまったので、だれもゲルダの話を聞いていませんでした。でも、ゲルダは目を閉《と》じることすらできません。生きていられるのか死ぬのか、わからないのですものね。

追いはぎたちは火のまわりに座《すわ》って、歌を歌ったりお酒を飲んだりしていました。追いはぎのばあさんは宙返《ちゆうがえ》りまでしています。小さな女の子にとって、それは見るも恐《おそ》ろしいことでした。

そのとき、森バトが言いました。「クー！　クー！　ぼくら、カイを見たよ。白いニワトリがソリを運んでた。カイは雪の女王の馬車に乗ってて、ぼくらが巣《す》のなかにいると、森の木立すれすれのところを通っていったんだ。雪の女王が、ぼくらみたいな子どものハトに息を吹《ふ》きかけたもんだから、みんな死んじゃって、生《い》き残《のこ》ったのはぼくら二羽《わ》だけなんだよ。クー！　クー！」

「まあ、そこのあなたたち、あたしに教えてくれているのね？」ゲルダは尋《たず》ねました。

「その雪の女王はどこへ行ったの？　何か知ってる？」

「たぶん、ラップランドに行ったんだよ。そこにはいつも氷や雪があるから。縄《なわ》につながれてるトナカイに聞いてごらん」

「そう、あそこには雪と氷があるんですよ。最高《さいこう》にすばらしいところです！」とトナカイは言いました。「きらきら光るいくつもの大きな谷間を、自由に走りまわれて！　雪の女王の夏の住まいが、そこにありましてね。でも、本当のお城《しろ》はもっと北《ほっ》極《きょく》に近いところ、スピッツベルゲンという島にあるんです」

「ああ、カイ。大好《だいす》きなカイ！」ゲルダはそっとつぶやきました。

「静《しず》かに寝《ね》なってば」追いはぎの娘《むすめ》が言いました。「でないと、あんたにこのナイフを突《つ》き刺《さ》すよ」

朝になり、ゲルダは森バトが言ったことすべてを追いはぎの娘《むすめ》に話しました。娘《むすめ》はとてもまじめな顔をして、うなずくと、こう言いました。

「任《まか》しとき！　あたいに任《まか》せな。おまえはラップランドがどこにあるか、知ってるのかい？」娘《むすめ》はトナカイに聞きました。

「わたしよりよく知ってる者なんかいませんよ」トナカイは目を輝《かがや》かせて答えました。「そこで生まれ育ったんですから！　雪の原っぱをはねまわったもんです！」

「聞きな！」追いはぎの娘《むすめ》はゲルダに言いました。「ほら、男たちはみんな出かけちまってる。ここにまだいるのは、おっかさんだけだ。おっかさんはずっといるんだよ。でも、昼近くなったら、大きい瓶《びん》に入ってるお酒を飲んで、ちょっとのあいだ寝《ね》ちまうんだ。そしたら、あんたのためにひと肌脱《はだぬ》いでやるよ」

そこで、娘《むすめ》は寝床《ねどこ》から飛《と》び出《だ》すと、母親の首にしがみつき、そのひげを引《ひ》っ張《ぱ》りながら言いました。

「おはよう、あたいの大好《だいす》きなヤギおっかさん！」すると、おっかさんは娘《むすめ》の鼻を指ではじき、しまいには鼻が赤や青になってしまいましたが、それは娘《むすめ》がかわいくて仕方ないからなのでした。

おっかさんが瓶《びん》のお酒を飲んで、ちょっと眠《ねむ》ってしまうと、娘《むすめ》はトナカイのところへ行って、こう言いました。

「あと何回か、このナイフでおまえをくすぐってやりたいよ。そのときのおまえが、ものすごくおかしくてさ。だけど、まあ、しょうがない。おまえの綱《つな》をほどいて外に出してやるから、ラップランドまで走っていきな。だけど、しっかり走って、この女の子を雪の女王のお城《しろ》まで連《つ》れていくんだよ。そこに、この子の友だちがいるんだって。この子の話が聞こえただろ。大きな声だったし、おまえは耳をすませてたんだから」

トナカイはうれしくてぴょんと飛《と》び上《あ》がりました。追いはぎの娘《むすめ》はゲルダを抱《だ》き上《あ》げてトナカイに乗せると、念《ねん》のために体をトナカイに縛《しば》りつけ、さらには自分の小さなクッションをお尻《しり》の下に敷《し》いてやりました。「しょうがない」娘《むすめ》は言いました。「ほら、あんたの毛皮の靴《くつ》をはいてきな。寒くなるからね。でも、このマフはもらっとくよ。ものすごくきれいなんだもん。だけど、だからってあんたを凍《こご》えさせたりはしないよ。これ、おっかさんのでっかいミトンなんだ。あんたなら、肘《ひじ》まですっぽり入るだろ。はめてみな！　うわ、あんたの手ときたら、あたいの醜《みにく》いおっかさんみたいだ！」

ゲルダはうれしくて涙《なみだ》ぐみました。

「めそめそなんか、しないどくれ」追いはぎの娘《むすめ》が言いました。「うれしそうな顔をするところだろ！　あと、ほら、パンがふたつと、ハムがあるよ。これで、おなかはすかないね」

この食べ物はトナカイの背《せ》中《なか》にくくりつけられました。追いはぎの娘《むすめ》は扉《とびら》をあけて、大きな犬たちをみんななかへ入れると、ナイフでトナカイの綱《つな》を切り、トナカイに言いました。

「さあ、走れ。だけど、女の子を落とさないよう気をつけるんだよ！」

ゲルダは大きなミトンをはめた手を、追いはぎの娘《むすめ》のほうへさし出して、言いました。「さようなら！」

さあ、トナカイは切《き》り株《かぶ》や岩を飛《と》び越《こ》え、大きな森を突《つ》き抜《ぬ》け、沼地《ぬまち》や草原を走って、できるだけ急ぎました。オオカミが吠《ほ》え、大ガラスが鳴きました。空では、「クシュー！　クシュー！」と、くしゃみのような音がします。空を真っ赤な光が切《き》り裂《さ》きました。

「あれはオーロラです、なつかしいなあ」トナカイが言いました。「ほら、ピカピカ光っているでしょう！」そのあと、トナカイはいっそう速く、昼も夜も走っていきました。そして、パンをすっかり食べてしまい、ハムもなくなったころ、ラップランドに着いたのでした。

六つめのお話

ラップ人の女とフィン人の女

トナカイはある小さな小屋の前で止まりました。ずいぶんみすぼらしい小屋で、屋根は地面につくほど傾《かたむ》き、入口がひどく低《ひく》いので、出たり入ったりしたいときには、腹《はら》ばいにならなくてはなりません。なかにいるのはラップ人のおばあさんひとりだけで、石油ランプの上で魚を焼《や》いていました。トナカイはそのおばあさんにゲルダのことをすっかり話しましたが、まずは自分のことのほうが先でした。そっちのほうがもっと大切に思えたからです。ゲルダは寒

さで体がかじかんでしまい、口をきくどころではありませんでした。

「おやおや、それは気《き》の毒《どく》に！」とラップ人のおばあさんが言いました。「まだまだ遠くまで走らないといけないよ！　ここから百五十キロ以上《いじょう》も北のフィンマルクまで行かなけりゃ。雪の女王はそこにおいでだからね。そこにお住まいで、夜ごと青い火を燃《も》やしていなさるんだ。あたしが干《ほ》し魚《うお》に手紙を書いてやろう。紙がないもんでね。それをやるから、ちょっと先のフィン人の女のところへ持ってくといい。あたしよりも、詳《くわ》しいことを教えてもらえるから」

そんなわけで、ゲルダが体を温めてもらい、食べたり飲んだりしていると、ラップ人のおばあさんは干《ほ》し魚《うお》にいくつか言葉を書いてくれました。そして、大切に持っていくんだよと念《ねん》を押《お》し、ゲルダをまたトナカイに結《むす》びつけました。こうして、ゲルダとトナカイは出発したのです。「シュー！　シュー！」空の高いところで音がします。きれいな青いオーロラが、ひと晩《ばん》じゅう光を放っていました。

やがて、フィンマルクに着き、フィン人の女の家の煙突《えんとつ》をノックしました。その家には扉《とびら》がなかったからです。

家のなかはむんむんするほど暑かったので、フィン人の女は裸《はだか》に近い格好《かっこう》でいました。背《せ》が低《ひく》くて、すすだらけです。まずはゲルダの服を脱《ぬ》がせ、ミトンとブーツを取ってくれました。でないと、暑すぎてたまらないからなんです。次に、トナカイの頭に氷をのせました。そして、干《ほ》し魚《うお》に書いてあることを読みました。三回読んで、それを覚《おぼ》えると、干《ほ》し魚《うお》をスープ鍋《なべ》のなかに放りこみました。そうするとおいしく食べられるし、なんでも無駄《むだ》にしない人なんですよ。

そのあと、トナカイは最初《さいしょ》に自分の話を、次にゲルダの話をしました。賢《かしこ》そうな日のフィン人の女はまばたきをしましたが、なんとも言いません。

「あなたはたくさんの知恵《ちえ》をお持ちです」とトナカイは言いました。「世界の風という風を、一本の糸で結《むす》びつけることができると聞いていますよ。船長が最初《さいしょ》の結《むす》び目《め》をほどくと、ほどよい風が吹《ふ》き、ふたつめのをほどくと、強い風が吹《ふ》くけど、三つめと四つめをほどくと、嵐《あらし》が来て、森の木が倒《たお》れてしまうそうですね。この女の子に、十二人力がついて、雪の女王に勝てるような、飲み薬をあげてくれませんか？」

「十二人力とはね！」フィン人の女は言いました。「さぞかし役に立つだろうさ！」そして、棚《たな》のところへ行き、皮の大きな巻《ま》き物《もの》を下ろすと、それをくるくる広げました。そこには奇妙《きみょう》な文字が書いてあり、フィン人の女は額《ひたい》から汗《あせ》がぽたぽた垂《た》れるまで、それを読んでいました。

トナカイがゲルダのためにもう一度お願《ねが》いし、ゲルダも涙《なみだ》をいっぱいためた、すがるような目でフィン人のおばさんを見つめました。フィン人のおばさんはまばたきをしはじめ、トナカイを隅《すみ》っこに引《ひ》っ張《ぱ》っていって、その頭に新しい氷をのせながら、ささやきました。

「カイは確《たし》かに雪の女王のところにいて、なんでも思いどおり好《す》き勝手《かって》にできるもんだから、そこが世界一いい場所だと思ってるよ。でも、それは鏡《かがみ》のかけらが目に刺《さ》さってて、その小さい粒《つぶ》が心臓《しんぞう》に入ってるせいなのさ。それが出てかないと、カイは絶対《ぜったい》にまた人間になれないし、雪の女王の思うままになってるしかないんだ」

「でも、そういうことに勝てる力が出る何かを、ゲルダにあげることはできませんか？」

「ゲルダがすでに持ってる力よりも強いものは、やれないね。ゲルダが持ってる力がどれほど大きいか、わからないのかい？　人間だって動物だって、ゲルダのために何かしてやろうと思わずにはいられないだろ？　はだしの子がこの世界でなんとかやってこれたわけが、わからないのかい？　ゲルダが持ってる力は、あたしらが教えてやれるもんじゃない。その力は、あの子の心のなかにあって、いつまでも消えないだろうよ。それはもう汚《けが》れのない子だからね。あの子が雪の女王のところへ行って、カイから鏡《かがみ》のかけらを取りのぞけないとしたら、あたしらだって何もできやしない！ここから三キロばかり行くと、雪の女王の庭のはずれに着くから、おまえさんはそこまであの子を連《つ》れていっておやり。すると、赤い実をつけた大きな茂《しげ》みが雪のなかにあるから、そこにあの子を下ろせばいい。そのあと、無駄《むだ》なおしゃべりはしないで、さっさとここへ戻《もど》っといで！」

さて、フィン人のおばさんがゲルダをトナカイに乗せると、トナカイは精《せい》いっぱい速く走りました。

「いけない、靴《くつ》を置《お》いてきちゃった！　ミトンも！」ゲルダは肌《はだ》を刺《さ》すような寒さを感じて、叫《さけ》びました。でも、トナカイは止まらないことにしました。どんどん走って、赤い実のなっている茂《しげ》みに着きました。そこでゲルダを下ろし、口にキスをしました。大粒《おおつぶ》のきらきら光る涙《なみだ》が、頰《ほお》を流れます。そのあと、全速力で戻《もど》っていきました。ゲルダはかわいそうに、靴《くつ》も手袋《てぶくろ》もないまま、厳《きび》しい氷の世界、フィンマルクのただなかに立っていました。

ゲルダはがんばって走り出しましたが、やがて雪の大群《たいぐん》に襲《おそ》われました。空から降《ふ》ってくる雪ではありません。空はすっきりと晴れわたり、オーロラが光っています。雪は地面を走ってきて、近寄《ちかよ》れば近寄《ちかよ》るほど大きくなってくるのです。ゲルダは雪ひらを虫眼鏡《むしめがね》で見たときに、それがどんなに大きくて面白《おもしろ》い形をしていたかを、いまも覚《おぼ》えていました。でも、この雪はそれよりずっと大きくて、ものすごく恐《おそ》ろしいし、なんと生きているのです！　それは雪の女王が送ってきた先兵隊《せんぺいたい》で、なんとも奇妙《きみょう》な形をしていました。醜《みにく》い大きなヤマアラシに似《に》ているものや、とぐろを巻《ま》いて鎌首《かまくび》をもたげているヘビのようなものや、毛が逆立《さかだ》っている太ったクマみたいなものもいま

す。みんな、まぶしいほど真っ白で、みんな、生きている雪ひらでした。

　そこで、ゲルダは「主の祈《いの》り」を唱《とな》えました。あまりに寒いので、自分の息がよく見えます。それは口から煙《けむり》のように出ていくと、だんだん濃《こ》くなっていきました。そして、小さな輝《かがや》く天使の姿《すがた》になって、地面に着くなり、みるみる大きくなっていくのです。どの天使も頭にかぶとをかぶり、手に槍《やり》と盾《たて》を持っていて、その数はどんどん増《ふ》えていきます。ゲルダが「主の祈《いの》り」を唱《とな》え終《お》わったときには、天使の大軍《たいぐん》がゲルダを取《と》り巻《ま》き、恐《おそ》ろしい雪ひらたちに槍《やり》を突《つ》き刺《さ》したので、雪ひらたちはこっぱみじんになりました。おかげで、ゲルダは危《あぶ》ない目にもあわず、怖《こわ》い思いもすることなく、進んでいくことができました。天使たちが手や足をさすってくれたので、あまり寒さを感じません。こうして、雪の女王のお城《しろ》へ急いだのでした。

さて、ここで、カイがどうしているかを見てみましょう。確《たし》かに、カイはゲルダのことなど考えてもいませんでした。ましてや、いまゲルダがお城《しろ》の前に立っていようとは、夢《ゆめ》にも思っていなかったのです。

七つめのお話

雪の女王のお城《しろ》で何があって、最後《さいご》にどうなったか

お城《しろ》の壁《かべ》は吹《ふ》き寄《よ》せる雪で、窓《まど》や扉《とびら》は身を切るような風で、できていました。広間は百以上《いじょう》もあって、やはりどれも吹《ふ》き寄《よ》せる雪でできています。一番大きい広間は長さが何キロもありました。どの広間も強いオーロラの光に照《て》らされ、それはもう広くて、がらんどうで、冷《つめ》たい氷が冴《さ》え冴《ざ》えと光っているのです！　そこには、楽しみというものがありませんでした。吹雪《ふぶき》が音楽を奏《かな》で、ホッキョクグマが後ろ足で立って品の良《よ》い踊《おど》りを見せびらかす、ちょっとしたクマの舞踏会《ぶとうかい》すらありません。キスゲー

ムや鬼ごっこといったかわいらしい遊びもないですし、ホッキョクギツネのお嬢《じょう》さんたちのささやかなコーヒー・パーティーもないのです。がらんとしていて、だだっ広くて、寒いばかりの、雪の女王の広間でした。オーロラの光はとても明るいので、空の一番高いところにあるときも、一番低《ひく》いところにあるときも、頼《たよ》りになりました。このどこまでも続《つづ》く果《は》てしない雪の広間の真ん中に、凍《こお》っている湖がありました。その氷は千個《こ》ものかけらに割《わ》れているのですが、どれもみな、まったく同じ形で、まさに完璧《かんぺき》な美術品《びじゅつひん》でした。雪の女王は、お城《しろ》にいるときにはこの湖の真ん中に座《すわ》っています。そして、わたくしは知性《ちせい》の鏡《かがみ》に座《すわ》っているのです、と言うのでした。これは世界にひとつしかない、世界で一番すばらしい鏡《かがみ》なのですよ、と。

カイは寒さのせいで、真っ青になっていました。いえ、黒ずんでいるといってもいいほどです。でも、自分では気づいていませんでした。雪の女王がキスをして、身震《みぶる》いするほどの寒気を奪《うば》っていたからです。それに、カイの心臓《しんぞう》は氷のかたまりのようになっていました。カイはあっちこっちから、先のとがった平らな氷のかけらを引きずってきては、さまざまに組み合わせていました。何かを作りたかったのです。ちょうど、わたしたちが小さな木切れを並《なら》べていろいろな形を作る、「セブンピース・パズル」のように、カイも形を作っていました。しかも、とても見事な形を。それは

「理性の氷ゲーム」というものです。カイの目には、そのような形こそ、非常にすばらしく、何よりも大切なものに見えました。それは、目のなかに入っている鏡のかけらのせいだったのですけれどね。カイはすべての形を並《なら》べて、言葉を作りました。ただ、自分が作りたい言葉だけは、どうしても作れません。それは、「永遠《えいえん》」という言葉です。

雪の女王は、こう言っていました。「その言葉を作れたら、おまえを自由にしてやろう。そして、この世界のすべてと新しいスケート靴《ぐつ》をあげよう」

けれど、カイは作れませんでした。

「さて、わたしはこれから暖《あたた》かい国々へ飛《と》んでいかなければならないのだよ」と雪の女王は言いました。「黒い大釜《おおがま》をのぞきにね」黒い大釜《おおがま》とは、エトナやベスビオと呼《よ》ばれている、火を噴《ふ》く山のことです。「それを少し白くしてやるんだよ。必要《ひつよう》なことなんだ。レモンやブドウの木のためになるのでね」

そういうわけで、雪の女王は飛《と》んでいき、カイはひとりぼっちで、長さが何キロもある、がらんとした大きい氷の広間に座《すわ》り、氷のかけらを見つめながら、ずっと考えこんでいました。体のなかが凍《こお》って、ミシミシいう音が聞こえてくるほどです。だれかが見たら、凍《こご》え死《じ》んでいると思ったことでしょう。

ちょうどそのとき、ゲルダが大きな門からお城《しろ》に入ってきました。そこでは、身を切るような風が見張《みは》りをしていましたが、ゲルダが「夕べの祈《いの》り」を唱《とな》えると、風はもう寝《ね》にいきたいと思っているかのように、おさまりました。ゲルダががらんとした寒くて大きい広間に入ると、カイの姿《すがた》が見えました。それがカイだとわかると、飛《と》んでいって腕《うで》をまわし、ぎゅっと抱《だ》きしめて叫《さけ》びました。

「カイ、ああ、大好《だいす》きなカイ！　やっと見つけたわ！」

けれど、カイは身じろぎもせず、冷《つめ》たい体をこわばらせて座《すわ》ったままです。ゲルダが熱《あつ》い涙《なみだ》を流すと、それはカイの胸《むね》に落ちました。そして、心臓《しんぞう》のなかまでしみこみ、氷のかたまりをとかし、そこにあった鏡《かがみ》の小さなかけらを消し

てしまいました。カイはゲルダを見つめ、ゲルダは讃美歌《さんびか》を歌いました。

この世に咲《さ》く、美しいバラの花
わが幼子《おさなご》イエスは、そこにおわします

すると、カイがわっと泣《な》き出し、涙《なみだ》をたくさん流したので、鏡《かがみ》のかけらが目から出ました。すると、カイはゲルダのことがわかり、うれしくて歓声《かんせい》をあげました。「ゲルダ、ああ、大好《だいす》きなゲルダ！　いままでずっと、どこにいたの？　それに、ぼくはどこにいるんだろう？」カイはあたりを見まわしました。「ここはなんて寒いんだ！　がらんとしてて、だだっ広いだけじゃないか！」

カイはゲルダにしがみつき、ゲルダはうれしくて泣《な》き笑《わら》いしました。あまりにも喜《よろこ》んでいるので、氷のかけらまで、ふたりのまわりで踊《おど》りました。やがて踊《おど》り疲《つか》れて、また横になると、氷のかけらはひとりでに、あの言葉を作りました。雪の女王が、それを見つけたらカイを自由にして、この世界のすべてと新しいスケート靴《ぐつ》をあげると言った、その言葉です。

ゲルダがカイの頰《ほお》にキスをすると、カイの頰《ほお》には赤みがさしました。続《つづ》いて、目にキスをすると、目はゲルダの目と同じように輝《かがや》きました。それから、手と足にキスをすると、カイは元気を取《と》り戻《もど》し、楽しい気分になりました。そこへちょうど、雪の女王が帰ってきたのかもしれません。自由にしてあげるよと、きらめく氷のかけらで書かれています。

ふたりは手をつないで、大きなお城《しろ》を出ていきました。おばあさんのことや、屋根の上のバラのことなどを話しながら。ふたりが歩いていくところはどこでも、風がやんでお日さまが顔を出します。赤い実のなっている茂《しげ》みまで行くと、トナカイがそこに立って待っていてくれました。若《わか》いトナカイを一頭、連《つ》れています。若《わか》いトナカイは乳房《ちぶさ》がふくらんでいて、ふたりの子どもたちに温かいお乳《ちち》を飲ませ、その口にキスをしてくれました。そのあと、二頭のトナカイはカイとゲルダを乗せて、まずはフィン人のおばさんのところへ行きました。そこで、ふたりは暑い部屋のなかでたっぷり体を温め、家までどんなふうに帰ったらいいかを教えてもらいました。次に、ラップ人のおばあさんのところへ行くと、おばあさんはふたりに服を作ってくれていて、ふたりのためにソリも用意してありました。

二頭のトナカイはもうふたりを乗せずに、そのソリの横を走りながら、おばあさんと国境《こっきょう》まではるばる送ってくれました。ここまで来ると、緑の草が芽吹《めぶ》いていました。

ふたりは二頭のトナカイとラップ人のおばあさんに、別《わか》れを告《つ》げました。

「さようなら！」とみんなが口々に言いました。

やがて、ふたたび鳥のさえずりが聞こえ、緑の木の芽《め》をつけた森が見えてきました。そこから出てきたのは、見覚《みおぼ》えのある、ゲルダの金の馬車を引いてくれた立派《りっぱ》な馬です。それに乗っているのは、鮮《あざ》やかな赤い帽子《ぼうし》をかぶり、ピストルをベルトにさしている娘《むすめ》でした。そう、あの追いはぎの娘《むすめ》です。家にいるのにあきあきして、まずは北をめざし、そこが気に入らなかったら、ほかへ行くつもりでした。娘《むすめ》はすぐゲルダに気づき、ゲルダも娘《むすめ》に気づきました。それはうれしい出会いでした。

「あんた、あんなに遠くまで出かけるなんて、やるじゃないか！」娘《むすめ》はカイに言いました。「だれかさんがあとを追って世界の果《は》てまで行く価値《かち》のある人なのかどうか、わかんないけどさ！」

けれど、ゲルダは娘《むすめ》の頬《ほお》をぽんぽんとなでるように叩《たた》いただけで、王子さまと王女さまのことを尋《たず》ねました。

「ふたりは外国へ行ったよ」と追いはぎの娘《むすめ》が言いました。

「だったら、カラスは？」ゲルダは聞きました。

「ああ、あのカラスは死んじゃったんだ」娘《むすめ》は答えました。「もともとお城《しろ》で飼《か》われてた奥《おく》さんは、ひとりになっちゃって、黒い毛糸を脚《あし》につけてるよ。ひどく悲しそうに愚痴《ぐち》ばっかりこぼしてるらしいけど、まあ、聞いた話さ。ねえ、それよりも、あれからどんな具合だったのか、どうやってあんたの友だちをつかまえたのか、教えてよ」

そこで、ゲルダとカイはそれまでのことを話して聞かせました。

「終わり良《よ》ければ、すべて良《よ》しってわけだね！」と追いはぎの娘《むすめ》は言いました。

そして、ふたりの手を握《にぎ》り、いつかふたりの町を通りかかることがあったら、あんたたちを訪《たず》ねていくよと約束《やくそく》して、広い世界へ馬を飛《と》ばしていきました。

ゲルダとカイが手をつないで歩いていくと、やがて花と緑あふれる美しい春の景色《けしき》となりました。教会の鐘《かね》が響《ひび》いてきます。見覚《みおぼ》えのあるとんがり屋根が見えたと思ったら、そこはふたりが住んでいた大きな町でした。ふたりはおばあさんの家の玄関《げんかん》まで行き、階段《かいだん》をのぼって部屋のなかへ入りました。何もかも、元のままです。大きな時計が「カチ！　カチ！」と音を立て、その針《はり》も動いています。なんと、玄関《げんかん》の扉《とびら》から入ったとき、ふたりは自分たちが大人になっていることに気づきました。

開いた窓《まど》の向こうには、屋根の雨どいのところにバラの花が咲《さ》いています。子どもだったふたりが使った腰《こし》かけもありました。カイとゲルダはそれぞれ自分の腰《こし》かけに座《すわ》って、手を握《にぎ》りました。冷《つめ》たくて、がらんとした、果《は》てしなく続《つづ》く雪の女王のお城《しろ》のことは、重苦しい夢《ゆめ》だったかのように忘《わす》れていました。おばあさんが、神さまのくださる明るいお日さまの光のなかで、聖書《せいしょ》を声に出して読んでいます。

「子どものようにならなければ、けっして天国に入ることはできない」

カイとゲルダは目を見つめ合いました。そのとき、たちまち、あの讃美歌《さんびか》の意味がわかったのでした。

この世に咲《さ》く、美しいバラの花
わが幼子《おさなご》イエスは、そこにおわします

こうして、大人になったけれども子どもの心を持ったふたりは、そこに座《すわ》っていました。季節《きせつ》は夏。暖《あたた》かくて美しい夏でした。

豚《ぶた》飼《か》い王子

むかしむかし、あまり裕福《ゆうふく》ではない王子がいました。とても小さい国だったのです。それでも、お妃《きさき》を迎《むか》えられるほどには大きかったので、結婚《けっこん》したいと思いました。とはいえ、この王子が皇帝《こうてい》のお姫《ひめ》さまに、「ぼくと結婚《けっこん》してくださいますか？」と言うなんて、ずうずうしいもいいところですよね。けれど、王子は思いきって、そうしたのですよ。自分の名前は遠い国まで広く知られていて、「はい、喜《よろこ》んで」と返事をしそうなお姫《ひめ》さまが、何百人もいたからです。さて、皇帝《こうてい》のお姫《ひめ》さまは、そう返事をしたでしょうか？　では、これからそのお話を聞きましょう。

王子のお父さまのお墓《はか》の上には、バラの木が一本生えていて、それはとても美しいバラでした。五年ごとにしか咲《さ》かず、それもたった一輪《りん》だけなのですが、たいそう価《か》値《ち》のあるバラなのです！　その甘《あま》い香《かお》りときたら、かいだとたんに悲しみや悩《なや》みがいっぺんに吹《ふ》き飛《と》んでしまうほどでした。それから、王子はナイチンゲールを一羽飼《か》っていました。その歌ときたら、ありとあらゆるメロディーがその小さな喉《のど》に詰《つ》まっているかのようでした。王子は、このバラとこのナイチンゲールを、皇帝《こうてい》のお姫《ひめ》さまにさしあげようと思い、大きな銀の箱に入れて、送《おく》り届《とど》けました。

皇帝《こうてい》は、運ばれてきた贈《おく》り物《もの》を大広間に運ばせ、自分もあとから大広間へ行きました。そこでは、お姫《ひめ》さまが侍女《じじょ》たちと「お客さまごっこ」をしていました。だって、ほかにはこれといってすることがないのですからね。お姫《ひめ》さまは贈《おく》り物《もの》の入っている銀の箱を見るなり、手を叩《たた》いて喜《よろこ》びました。

「わあ、小さな猫《ねこ》ちゃんでありますように！」とお姫《ひめ》さまは言いました。

けれど、出てきたのは、きれいなバラだけです。

「まあ、なんてすてきに作ってあるのでしょう！」侍女《じじょ》たちが口をそろえて言いました。

「すてきどころではないぞ」皇帝《こうてい》が言いました。「ほれぼれするではないか」

けれど、その花にさわったお姫《ひめ》さまは、いまにも泣《な》きそうになったのです。「いやだわ、お父さま！」お姫《ひめ》さまは言いました。「これは作ったものではないわ。本物のバラよ！」

「とんでもないことですわ！」侍女《じじょ》たちが口をそろえて言いました。「本物のバラだなんて！」

「いやいや、文句《もんく》をつけたり腹《はら》を立てたりする前に、もうひとつの箱の中身を見てみようじゃないか」皇帝《こうてい》が言いました。そこからは、ナイチンゲールが出てきて、たいそう美しい声で鳴いたので、しばらくのあいだ、だれも文句《もんく》のつけようがありませんでした。

「シュペルブ《すばらしいわ》！　シャルマン《みごとですこと》！」侍女《じじょ》たちが口々に言いました。みんな、フランス語が話せるのです。ただ、ひとりが言うごとに、だんだん下手なフランス語になっていきました。

「なんと、この鳥の歌を聞いていますと、亡《な》くなられたなつかしい皇后《こうごう》さまのオルゴールを思い出しますなあ！」年老《としお》いた侍従《じじゅう》が言いました。「おお、そうですとも！音色も同じなら、調子もそっくりでございますよ！」

「そのとおりじゃな」皇帝《こうてい》はそう言って、小さな子どものように泣《な》きました。

「鳥ですって？」お姫《ひめ》さまが言いました。「まさか、本物の鳥じゃないでしょうね？」

「いえいえ、本物の鳥でございますとも」それを運んできた男たちが答えました。

「だったら、そんな鳥、逃《に》がしておしまい」お姫《ひめ》さまはそう言って、王子に会うことはもちろん、王子を話題にすることも受け入れませんでした。

けれど、王子はへこたれません。顔を茶色や黒に塗《ぬ》って、帽子《ぼうし》をまぶかにかぶり、お城《しろ》の扉《とびら》を叩《たた》いたのです。

「こんにちは、皇帝陛下《こうていへいか》！」と王子は言いました。「このお城《しろ》で働《はたら》かせてくださいませんか？」

「それはいいが」と皇帝《こうてい》は答えました。「ここで働《はたら》きたい者はわんさとおるんじゃよ。いや、そうそう！　豚《ぶた》の世話をする者がほしいところじゃった。豚《ぶた》がたくさんいるのでな」

そんなわけで、王子は皇帝《こうてい》の豚飼《ぶたか》いになったのです。豚小屋《ぶたごや》のそばのみすぼらしい小さな部屋をあてがわれ、そこで暮《く》らすことになりました。そして、一日中そこに座《すわ》って、せっせと何かを作り、夕方にはきれいな小さいおなべができあがりました。まわりには鈴《すず》がついていて、おなべの中身が煮《に》えてくると、鈴《すず》がきれいな音で鳴り、昔から伝《つた》わっている歌を奏《かな》でます。

ああ、きみよ、いとしのアウグスティン、
みんな、なくなった、なくなった、なくなった。

けれど、このおなべができる何よりもすごい技《わざ》は、その湯気のなかに指を一本入れると、町じゅうの家の台所で作られている料理《りょうり》が、においですぐにわかることでした。バラの花とはまったく違《ちが》う不思議《ふしぎ》さですね。

しばらくすると、お姫《ひめ》さまが侍女《じじょ》たちみんなを連《つ》れて、やってきました。そして、この歌を耳にすると、その場で足を止め、とてもうれしそうな顔をしました。お姫《ひめ》さまも、「ああ、きみよ、いとしのアウグスティン」が弾《ひ》けるからです。それはお姫《ひめ》さまが弾《ひ》けるたったひとつの曲で、それも、たった一本の指で弾《ひ》くのですけどね。

「あら、あの曲、わたしも弾《ひ》けるのよ！」お姫《ひめ》さまは言いました。「きっと、きちんとした教育を受けた豚飼《ぶたか》いなのね！　ねえ！　あそこへ行って、あの楽器《がっき》がいくらか聞いておいで！」

そこで、侍女《じじょ》のひとりはその部屋へ駆《か》けこみました。まあ、その前に、木靴《きぐつ》をはきましたけれど。

「そのおなべ、いくらで譲《ゆず》ってもらえるかしら？」侍女《じじょ》が聞きました。

「お姫《ひめ》さまのキスを十回いただきます」豚飼《ぶたか》いの王子は答えました。

「まあ、なんてこと！」侍女《じじょ》は言いました。

「そう、それより少なかったら売りません」豚飼《ぶたか》いは言いました。

「ねえ、なんと言っていたの？」お姫《ひめ》さまが尋《たず》ねました。

「それは、あの、申し上げられません」侍女《じじょ》は返事をしました。「あまりにひどくて！」

「だったら、耳打ちすればいいわ」そこで、侍女《じじょ》はひそひそと耳打ちしました。「なんて失礼《しつれい》な人だこと」お姫《ひめ》さまはそう言うと、さっさとその場を離《はな》れました。ところが、ほんの少し行ったところで、鈴《すず》がそれはきれいに鳴ったのです。

ああ、きみよ、いとしのアウグスティン、
みんな、なくなった、なくなった、なくなった。

「ねえ！」お姫《ひめ》さまが言いました。「侍女《じじょ》のキス十回ではどうか、聞いておいで」

「いいえ、お断《ことわ》りです！」豚飼《ぶたか》いは答えました。「お姫《ひめ》さまのキスを十回。でなければ、おなべはさしあげません」

「いまいましいったら、ないわ！」お姫《ひめ》さまは大きな声で言いました。「でも、仕方ない、おまえたち、わたしのまわりに立ってちょうだい。だれにも見られないように」そこで、侍女《じじょ》たちはお姫《ひめ》さまのまわりに立って、スカートを広げました。こうして、豚飼《ぶたか》いはお姫《ひめ》さまのキスを十回もらい、お姫《ひめ》さまはおなべを手に入れたのです。

さあ、お姫《ひめ》さまも侍女《じじょ》たちも大喜《おおよろこ》び！　夜となく昼となく、そのおなべでお湯を沸《わ》かし続《つづ》けました。靴屋《くつや》から侍従《じじゅう》の家まで、町じゅうの台所で、何が料理《りょうり》されているかわからないところは、ひとつもありません。みんなは面白《おもしろ》がり、手を叩《たた》いて小躍《こおど》りしました。

「だれがおいしいスープとパンケーキを食べているか、だれがオートミールとカツレツを食べているか、わかるんですのね。なんて面白《おもしろ》いんでしょう！」

「たいそう面白《おもしろ》うございますね！」侍女《じじょ》のなかで一番偉《えら》い人が言いました。

「そうね。でも、黙《だま》っていなければだめよ。だって、わたしは皇帝《こうてい》の娘《むすめ》なんですから」

「承知《しょうち》しておりますとも！」みんなそろって答えました。

さて、豚飼《ぶたか》いは、といっても、本当は王子で、もちろん、みんなは本物の豚飼《ぶたか》いであることを疑《うたが》ってもいないのですが、何かを作らない日は一日もなく、今度はガラガラを作りました。これを振《ふ》ると、ワルツであれ、ギャロップであれ、ポルカであれ、この世の始まりから知られているどんな曲でも、鳴らすことができるのです。

「あら、シュペルブだこと！」通りかかったお姫《ひめ》さまが言いました。「あんなすてき

な曲は聞いたことがないわ。ねえ！　あそこへ行って、あの楽器《がっき》がいくらか聞いておいで。でも、もうキスはしないわよ！」

「お姫《ひめ》さまのキスを百回いただくそうです」聞きに行った侍女《じじょ》が言いました。

「まあ、頭がおかしいに違《ちが》いないわね！」お姫《ひめ》さまはそう言って、その場を立ち去りました。でも、ほんの少し行ったところで、足を止めて、言いました。「芸術《げいじゅつ》には力を貸《か》さなければならないわ。わたしは皇帝《こうてい》の娘《むすめ》だもの！　この前のように、キスを十回してあげるって、言ってきてちょうだい。残《のこ》りのキスは侍女《じじょ》たちがするって」

「ええっ、それはいやでございます！」侍女《じじょ》たちが言いました。

「何を言ってるの！」お姫《ひめ》さまは言いました。「わたしがキスできたのだから、あなたたちだってできるはずよ。いいこと、あなたたちがお食事をできて、お給料《きゅうりょう》をもらえるのは、わたしのおかげなのよ」

というわけで、侍女《じじょ》はまた豚飼《ぶたか》いのところへ行かなければなりませんでした。

「お姫《ひめ》さまのキスを百回」と豚飼《ぶたか》いは言いました。「でなければ、さしあげません」

「わたしのまわりに立ってちょうだい」お姫《ひめ》さまが言うと、侍女《じじょ》たちがみんなお姫《ひめ》さまのまわりに立ったので、豚飼《ぶたか》いはお姫《ひめ》さまにキスをしました。

「豚小屋《ぶたごや》のそばの人だかりは、何ごとじゃ？」皇帝《こうてい》が尋《たず》ねました。ちょうどバルコニーに出ていたのです。皇帝《こうてい》は目をこすり、眼鏡《めがね》をかけました。「おや、侍女《じじょ》たちが何かふざけとるようだぞ！　どれどれ、ちょっと見に行くとしよう！」

そこで、皇帝《こうてい》は上靴《うわぐつ》のかかとを引《ひ》っ張《ぱ》り上《あ》げました。というのも、靴《くつ》のかかとを踏《ふ》みつぶして、はいていたからなのですよ。おやまあ！　なんて速足なのでしょう！　皇帝《こうてい》は中庭に下りると、足音を忍《しの》ばせてそっと歩きました。侍女《じじょ》たちはキスの回数を数えるのに夢中《むちゅう》です。約束《やくそく》をきちんと守るには、多すぎてもいけないし、少なすぎてもいけませんからね。そのため、皇帝《こうてい》には気づきません。皇帝《こうてい》は爪先立《つまさきだ》ちになって、のぞきこみました。

「これはいったい、なんじゃ！」ふたりがキスをしているのを見て、皇帝《こうてい》は上靴《うわぐつ》でふたりの頭を叩《たた》きました。ちょうど豚飼《ぶたか》いが八十六回目のキスをもらっているところでした。

「出て行け！」と皇帝《こうてい》は言いました。かんかんに怒《おこ》っています。

こうして、お姫《ひめ》さまと豚飼《ぶたか》いは皇帝《こうてい》の国から追い出されてしまいました。お姫《ひめ》さまは立ったまま泣《な》くばかり。豚飼《ぶたか》いは腹《はら》を立てていましたし、おまけに、雨がざあざあ降《ふ》ってきました。

「ああ、わたしってみじめで、かわいそう！」お姫《ひめ》さまは言いました。「あのすてきな王子さまと結婚《けっこん》すればよかったのに！　ああ、わたしはなんて不幸《ふしあわ》せなのかしら！」

豚飼《ぶたか》いは木の後ろへ行くと、顔に塗《ぬ》っていた黒と茶色をふき取り、みすぼらしい服を脱《ぬ》ぎ捨《す》てました。そして、王子らしい身なりになって、ふたたび姿《すがた》を見せました。あまりに立派《りっぱ》な姿《すがた》だったので、お姫《ひめ》さまは思わず膝《ひざ》を曲げてお辞儀《じぎ》をしました。

「あなたにはがっかりしました」と王子は言いました。「誠実《せいじつ》な王子を受け入れようとせず、バラの花やナイチンゲールの良《よ》さがわからないなんて。それどころか、他愛《たあい》のない玩具《おもちゃ》ほしさに、豚飼《ぶたか》いにキスをするとはね。こうなったのも、仕方ないというものですよ！」

こう言うと王子は自分の国に入り、お姫《ひめ》さまの鼻先で門を閉《し》め、鍵《かぎ》をかけてしまいました。そんなわけで、今度はお姫《ひめ》さまが門の外に立って、歌を歌ったのでした。

ああ、きみよ、いとしのアウグスティン、
みんな、なくなった、なくなった、なくなった。

羊《ひつじ》飼《か》いの娘《むすめ》と煙《えん》突《とつ》小《こ》僧《ぞう》くん

とても由緒《ゆいしょ》ある黒ずんだ木材《もくざい》に、うずまきや葉の文様をくまなく彫《ほ》りつけたたんすを見たことがありますか？　そうですねえ、あるおうちの応接間《おうせつま》にまさしくそんな品がありましてね、おばあさんからおばあさんへというふうに代々受《う》け継《つ》がれてきたものです。たんすの上から下までびっしりとチューリップや風変《ふうが》わりなバラっぽい花の茂《しげ》みが絡《から》み合《あ》い、その茂《しげ》みの陰《かげ》に枝《えだ》角《づの》をいただく小さな鹿《しか》たちがたくさん彫《ほ》られていました。彫《ほ》り飾《かざ》りの中心は、なんとも妙《みょう》な男の全身像《ぜんしんぞう》でした。ニタリと笑《わら》っているようでい

て笑顔《えがお》ともちょっと違《ちが》うのです。ヤギそっくりの脚《あし》で、おでこに小さな一本角と長いあごひげ。室内全員から、「牡《おす》ヤギ表裏全般《ひょうりぜんぱん》・法曹権威《ほうそうけんい》・指令《しれい》本部長」などと呼《よ》ばれていました。舌《した》を噛《か》みそうな珍《めずら》しい呼《よ》び名《な》ですが、どまん中にわざわざ彫《ほ》ってもらえるとは、よほどの人なのでしょう。でね、その人がずっと見ているのは壁掛《かべか》け鏡《かがみ》の手前の飾《かざ》りテーブルで、なんとも可憐《かれん》な羊飼《ひつじか》い娘《むすめ》の磁器《じき》人形がそこに立っていました。金塗《ぬ》りの靴《くつ》に、紅《べに》バラの生花だか造花《ぞうか》がついたドレス。帽子《ぼうし》も羊飼《ひつじか》いの杖《つえ》も金色で、とても快活《かいかつ》なかわいい顔をしています。すぐそばに立っているのも同じ磁器《じき》人形ではありますが、こちらはまっ黒にすすけた煙突小僧《えんとつこぞう》くんでした。といっても実際《じっさい》の汚《よご》れではなく、他の磁器《じき》人形たちに負けないくらいきれいに手入れされています。煙突小僧《えんとつこぞう》くんだから黒い絵付《えつ》けというだけで、顔だちを見れば王子さまでもおかしくないですし、絵付《えつ》け職人《しょくにん》もどちらかというと王子さまに仕立てたかったみたいです。

煙突小僧《えんとつこぞう》くんは仕事道具のはしごをさっそうと持ち、本当なら黒く汚《よご》れていないとおかしいのに、娘《むすめ》のように赤みのさした色白の顔をしていました。羊飼《ひつじか》い娘《むすめ》人形にぴったりくっついて飾《かざ》られたおかげで、ふたりは将来《しょうらい》を誓《ちか》い合う仲《なか》になりました。お似合《にあ》いのカップルです。どちらも同じタイプの磁器《じき》で、壊《こわ》れやすさも同じぐらいでしたから。

付近《ふきん》には人形がもうひとつありました。頭だけが前後にうなずく、ふたりの三倍も大きな中国のおじいさん人形です。やはり磁器《じき》人形で、羊飼《ひつじか》いの娘《むすめ》のおじいさんを自称《じしょう》していましたが、根拠《こんきょ》はありません。それなのに娘《むすめ》の後見役にしゃしゃり出て、牡《おす》ヤギ表裏全般《ひょうりぜんぱん》・法曹権威《ほうそうけんい》・指令《しれい》本部長から嫁入《よめい》りを打診《だしん》されると、ひとり合点《がてん》で勝手に承知《しょうち》してしまいました。

「そら、夫《おっと》を決めてやったぞ！」中国のおじいさんは娘《むすめ》に言《い》い渡《わた》しました。「どうやら、れっきとしたマホガニー製《せい》とおぼしいご仁《じん》じゃ。そのお方がおまえをめとり、牡《おす》

ヤギ表裏全般《ひょうりぜんぱん》・法曹権威《ほうそうけんい》・指令《しれい》本部長夫人《ふじん》にしてやろうとおっしゃるんだ。あのたんすの中には銀製品《ぎんせいひん》がうなっておるし、へそくり用の隠《かく》しひきだしだってあるかもしれん」

「だけどわたし、お嫁入《よめい》りなんかして、あの陰気《いんき》なたんすの中で暮《く》らしたくない」と羊飼《ひつじか》いの娘《むすめ》は言いました。「聞いた話じゃ、磁器《じき》人形の奥《おく》さんはもうとうに十一人も入っているそうよ」

「だったらおまえが十二人めになるんじゃ」中国のおじいさんが命じます。「今夜、あの古たんすがきしむのを合図に、おまえを嫁《よめ》に出す手はずになった。わしがせともの人形《チャイナマン》の中国人《チャイナマン》である限《かぎ》り、いったん決めたことは動かさんぞ」あとはこっくりこっくりと頭を揺《ゆ》らして居眠《いねむ》りを始めます。羊飼《ひつじか》いの娘《むすめ》は泣《な》きながら、恋人《こいびと》の煙突《えんとつ》小僧《こぞう》くんのほうを見ました。

「お願《ねが》いだから一緒《いっしょ》に逃《に》げて、広い世界へわたしを連《つ》れてって」と、すがりつきます。

「こうなったら、ふたりともここにはいられない」

「きみの思う通りにすればいい」煙突小僧《えんとつこぞう》くんはうけあいました。「すぐ逃《に》げよう。ぼくが煙突掃除《えんとつそうじ》で稼《かせ》げば、食うに困《こま》ることはまずないよ」

「このテーブルから無傷《むきず》でおりられますように」と、娘《むすめ》。「ふたりで広い世界に出られれば、ようやくひと安心よ」

煙突小僧《えんとつこぞう》くんは心配いらないよと言ってやり、きみのかわいらしい足をテーブルの端《はし》におろしてからテーブルの脚《あし》に移《うつ》り、金彩《きんさい》の葉飾《はかざ》りづたいにおりればいいと恋人《こいびと》を誘導《ゆうどう》しました。手持ちのはしごの助けも借《か》りて、どちらも無傷《むきず》でしっかり床《ゆか》にたどりつきます。ですが、あの古たんすの様子をうかがうと大騒《おおさわ》ぎになっていました。鹿《しか》どもの頭はそろって首を伸《の》ばし、角をそびやかしてこっちを見ています。牡《おす》ヤギ表裏《ひょうり》全般《ぜんぱん》・法曹権威《ほうそうけんい》・指令《しれい》本部長が飛《と》び上《あ》がって中国のおじいさんをどなりつけました。

「やつらめ、かけおちだ！　かけおち者だぞ！」

震《ふる》え上《あ》がったふたりは、窓辺《まどべ》にしつらえた座席《ざせき》下の収納《しゅうのう》にあわてて逃《に》げこみました。そちらには抜《ぬ》けのあるトランプが三、四組と、いつでも使える状態《じょうたい》に組み立てられた人形芝居《しばい》の小型舞台《こがたぶたい》セットが入っていました。舞台《ぶたい》は上演中《じょうえん》で、ダイヤ、ハート、クラブ、スペードの四女王が勢《せい》ぞろいして最前列《さいぜんれつ》に陣取《じんど》り、めいめい持っていたチューリップを扇《おうぎ》がわりに使って自分をあおいでいました。背後《はいご》に控《ひか》えるお供《とも》のジャックたちは、カードの絵札《えふだ》通りに上下から頭をのぞかせています。お芝居《しばい》は、主役ふたりが結婚《けっこん》を許《ゆる》してもらえないという悲恋《ひれん》ものだったので、羊飼《ひつじか》いの娘《むすめ》は身につまされて泣《な》いてしまいました。

「ああ、もう見ていられない！」と、娘《むすめ》。「今すぐここを出ましょう」ところが床《ゆか》にまた戻《もど》ってテーブルを見上げたら、中国のおじいさんがすっかり目をさましているではありませんか。頭ばかりか全身が前のめりにふらついています。なにぶん、下半身の曲げ伸《の》ばしがきかないのでね。

「おじいさんに捕《つか》まっちゃう！」羊飼《ひつじか》いの娘《むすめ》は悲鳴を上げ、磁器《じき》のひざから崩《くず》れ落《お》ちてしまいました。

「逃《に》げ道《みち》を思いついたよ」煙突小僧《えんとつこぞう》くんは言いました。「隅《すみ》っこの大型《おおがた》ポプリ壺《つぼ》の中に隠《かく》れよう。あの中ならバラの花びらやラベンダーの上に寝《ね》られるし、やつに見つかったら塩《しお》を目つぶしに投げてやればいい」

「効《き》かないわ、そんなの」娘《むすめ》に言われます。「それに、おじいさんは前にあのポプリ壺《つぼ》と付《つ》き合《あ》ってたのよ、いまだに情《じょう》が少しは残《のこ》っているでしょう。だめだめ、やっぱりふたりで広い世界へ逃《に》げのびるしかないわ」

「本気でぼくと広い世界へ出ていく覚悟《かくご》はある？」と、煙突小僧《えんとつこぞう》くん。「世界がどれほど広いか、もうここへは戻《もど》れなくなると考えてみたことは？」

「ええ」

煙突小僧《えんとつこぞう》くんはまっこうから娘《むすめ》の顔を見つめました。「ぼくと一緒《いっしょ》なら、煙突《えんとつ》の中をのぼっていけば外へ出られる。本気でついてくる覚悟《かくご》はあるかい、暖炉《だんろ》の中から管《くだ》をのぼっていくんだよ？　そうすれば煙突《えんとつ》の上に出られる。出てしまえばこっちのものだ。高すぎて誰《だれ》も追っかけてはこられない場所まで行こう。のぼりつめれば、広い世界への出口がある」

と、娘《むすめ》と手をつないで暖炉《だんろ》の口へやってきました。

「中はずいぶん暗いのね」と言いながらも、娘《むすめ》は煙突小僧《えんとつこぞう》くんの後について、暖炉《だんろ》からまっ暗な管《くだ》の中へと進みました。

「さあ、煙突《えんとつ》にたどりついた」煙突小僧《えんとつこぞう》くんが言いました。「ほら！　まばゆいお星さまがぼくらの上を照《て》らしているよ」

天の高みではほんものの星が輝《かがや》き、ふたりの足元を照《て》らしてくれるようでした。空《そら》恐《おそ》ろしいほど急な道なき道を、両手両足を使ってのぼっていきます。上へ、上へ！　そうしながらも煙突小僧《えんとつこぞう》くんは娘《むすめ》を引き上げてやったり、しっかりと支《ささ》えてやったり、きゃしゃな足をかけるのにいちばんよさそうな場所を見つけてやったりと、かいがいしく世話を焼《や》きました。こうしてついに煙突《えんとつ》のてっぺんにたどりつき、腰《こし》をおろしました。どっちもへとへとになっていましたからね、無理《むり》もありませんが！

頭上には星空が、目の前には町の家々の屋根が広がっています。ふたりは大きな世界の広がりを眺《なが》めました。かわいそうに、羊飼《ひつじか》いの娘《むすめ》には思いもよらなかった景色《けしき》です。それで、小さな頭を煙突小僧《えんとつこぞう》くんにくっつけて泣《な》きだし、飾《かざ》り帯《おび》の金を洗《あら》い流《なが》してしまうほど涙《なみだ》をこぼしました。

「手に余《あま》るわ」と、娘《むすめ》は言いました。「もう無理《むり》、耐《た》えられない。世界が大きすぎて。うわああん！　また鏡《かがみ》の前の小さなテーブルに戻《もど》れればいいのに。あのテーブルに戻《もど》れれば、ようやくひと安心できるわ。ひたすらあなたについてきて広い世界へ出られたけど、ほんの少しでもわたしのことを愛《あい》してくれるなら、元通りに連《つ》れ戻《もど》してちょうだい」

煙突小僧《えんとつこぞう》くんは道理を尽《つ》くして、戻《もど》るのをやめさせようとしました。あの中国のおじいさんもいるし、牡《おす》ヤギ表裏全般《ひょうりぜんぱん》・法曹権威《ほうそうけんい》・指令《しれい》本部長のことだってあるだろう。でも娘《むすめ》はいっそうすすり泣《な》いて、煙突小僧《えんとつこぞう》くんの口を激《はげ》しいキスでふさいでしまいました。そうなると不本意《ふほんい》ながらも、やっぱり言う通りにしてやるしかありません。

それでまた四苦八苦しながら煙突《えんとつ》をおりて、管《くだ》づたいに暖炉《だんろ》の暗がりへ出ました。そこでドア陰《かげ》から室内の様子に耳をすますうちに異変《いへん》に気づいたのです。妙《みょう》にしんとしていたので、ドアを開けたら――ああ、なんてこと！　中国のおじいさんが床《ゆか》に倒《たお》れて三つに割《わ》れてしまっています。走ってふたりを追いかけようとしたはずみに、テーブルの端《はし》から転げ落ちて床《ゆか》に激突《げきとつ》したのでした。背中《せなか》がそっくり外れ、頭はとれて片隅《かたすみ》に転がっています。牡《おす》ヤギ表裏全般《ひょうりぜんぱん》・法曹権威《ほうそうけんい》・指令《しれい》本部長は、いつもの定位置《ていいち》で思わせぶりな顔をしています。

「あらまあ」羊飼《ひつじか》いの娘《むすめ》は言いました。「おじいさんたらお気《き》の毒《どく》に、すっかり割《わ》れてしまって、何もかもわたしたちのせいね。もうわたし、生きていけない」と、きゃしゃな手をもみしぼるようにします。

「だいじょうぶ、直せるよ」煙突小僧《えんとつこぞう》くんがなだめました。「かすがいで継《つ》いであげればいい。そんなに泣《な》かないで。背中《せなか》は接着剤《せっちゃくざい》をちょっとつければいいし、首には頑丈《がんじょう》なかすがいを一本打てば新品同様だよ。持ち前の偏屈《へんくつ》なところだけは治《なお》らないだろうけど」

「えっ、本当に?」と尋《たず》ねながら、娘《むすめ》は恋人《こいびと》と一緒《いっしょ》に古巣《ふるす》のテーブルによじのぼりました。

「よし、戻《もど》れたぞ」と、煙突小僧《えんとつこぞう》くん。「元通りだ。あんな苦労《くろう》してまで行くことなかったのに」

「おじいさんを直してあげたい」羊飼《ひつじか》いの娘《むすめ》は言いました。「かすがいって、すごく高くつくかしら?」

おじいさんはちゃんと修理《しゅうり》できました。家の人たちが背中《せなか》をのりでくっつけ、首にも頑丈《がんじょう》なかすがいを一本打ってくれたおかげで新品同様になりましたが、うなずいたりは二度とできなくなりました。

「落ちてからこっち、ずいぶん頭が高いねえ。別《べつ》に自慢《じまん》になるような話でもあるまいに」と、おじいさんに文句《もんく》をつけたのは、牡《おす》ヤギ表裏全般《ひょうりぜんぱん》・法曹権威《ほうそうけんい》・指令《しれい》本部長でした。「で、その子を嫁《よめ》にくれるのか、それとも破談《はだん》かね?」

煙突小僧《えんとつこぞう》くんと羊飼《ひつじか》いの娘《むすめ》は、すがるような目でおじいさんを見上げました。うなずかれたらどうしようと生きた心地《ここち》もしなかったのです。でも、そうはなりませんでした。うなずけなかったからです。かといって、これからもずっと首にかすがいをはめてなくちゃいけないなんてわざわざ言うくらいなら、死んだほうがましでした。

かわいらしい磁器《じき》人形の男女は、おかげで引《ひ》き離《はな》されずにすみました。おじいさんのかすがいに感謝《かんしゃ》しながら、寿命《じゅみょう》で壊《こわ》れてしまうまで仲《なか》よく暮《く》らしたということです。

煙突《えんとつ》は○○の出入口？

ニッセ：ところでノール、サンタさんはどこから家に出入りする？

ノール：煙突《えんとつ》だろ。煙突《えんとつ》をきれいにすれば幸運が入ってくる。

ニッセ：そうそう。きたない煙突《えんとつ》は魔女《まじょ》や妖怪《ようかい》の出入口だけど。それに煙突《えんとつ》が詰《つ》まると、火事や一酸化炭素中毒《いっさんかたんそちゅうどく》など、命にかかわる不運《ふうん》や災難《さいなん》が実際《じっさい》に起きやすくなるんだよ。

ノール：だから煙突《えんとつ》をきれいにしてくれる煙突小僧《えんとつこぞう》くんは、幸運をもたらす縁起《えんぎ》のいい人だったんだよね。さすがに生きた人は少なくなったけど、磁器《じき》の人形なら今でもあるよ。

マッチ売りの少女

　それはもうひどく寒い日でした。雪が降《ふ》り、日も暮《く》れかけています。その年最後《さいご》の晩《ばん》でもありました。そう、大晦日《おおみそか》です。そんな寒くて暗いなかを、まずしい女の子が頭巾《ずきん》もなく、靴《くつ》もはかずに通りを歩いていました。家を出たときには、ちゃんと靴《くつ》をはいていたんですよ。では、その靴《くつ》はどうしたのかって？　それがとんでもなく大きな靴《くつ》だったのです。そのときまでその子のお母さんがはいていたものなんですから、ぶかぶかにきまっています。女の子が靴《くつ》をなくしたのは、恐《おそ》ろしい速さで向かってくる二台の荷馬車をよけようと、大急ぎで通りを渡《わた》ったときでした。片方《かたほう》の靴《くつ》は脱《ぬ》げたまま見つからず、もう片方《かたほう》はどこかの少年が拾って逃《に》げていってしまいました。おいらに赤《あか》ん坊《ぼう》が生まれたらこれを揺《ゆ》りかごにできるぞ、ですって。こうして女の子は裸足《はだし》で歩くことになり、あまりの寒さに両足が紫色《むらさきいろ》になっていました。女の子のくたびれたエプロンにはたくさんのマッチが入っており、片手《かたて》にマッチ入りの箱をひとつ持っています。ですが、今日はまだひとつも売れていないので、女の子は半ペニー硬貨《こうか》さえ手にしていませんでした。

おなかをすかせて寒さに震《ふる》えながら歩くその姿《すがた》は、この世の苦しみを一身に背負《せお》っているようでした。なんてかわいそうなのでしょう！　長い金髪《きんぱつ》に雪が降《ふ》りかかり、うなじのあたりがとても可愛《かわい》らしくカールしていましたが、女の子はそれどころではありません。今日は大晦日《おおみそか》なので、どの窓《まど》も明るく輝《かがや》き、こんがり焼《や》けたガチョウのおいしそうなにおいが漂《ただよ》ってきます。そう、女の子が気になるのはそのことばかりでした。

一軒《けん》の家と、それより少しだけ出《で》っ張《ぱ》った隣《となり》の家との角に腰《こし》をおろすと、女の子は自分の身を抱《だ》きかかえました。小さな足をおしりの下に入れても、ますます寒くなるばかりです。かといって、家に帰るわけにもいきません。マッチが売れず、硬貨《こうか》ひとつ稼《かせ》いでいないので父さんにぶたれてしまいます。それに、家も寒いのです。屋根だけはありますが、すきま風がぴゅーぴゅー吹《ふ》きこんでくるのです。大きなすきまは、わらやぼろきれでふさいであるのですけどね。

小さな手は寒さですっかりかじかんでしまいました。そうだ！　マッチを使えば温まるかもしれません！　思いきって一本だけ箱から取り出し、壁《かべ》にこすって火をつけ、指先を温めてみよう！　女の子はマッチを一本出しました。「わあ！」それがパチパチいいながら燃《も》えるさまといったら！

暖《あたた》かくて明るい小さなロウソクのような炎《ほのお》に、女の子は手をかざしました。その小さなともしびはすばらしく、磨《みが》きあげられた真鍮《しんちゅう》の脚《あし》と飾《かざ》りつきの大きな鉄ストーブにあたっているようです。その燃《も》えさかる炎《ほのお》の暖《あたた》かいこと！　ですが、どうしたことでしょう。両足も伸《の》ばして温めようとしたそのとき——小さな火は消え、ストーブも消え、女の子の手にはマッチの燃《も》えさしだけが残《のこ》っていました。

女の子は二本目のマッチをすりました。火がついて明るくなり、その光が届《とど》いた壁《かべ》は透明《とうめい》になりました。まるでベールのように——部屋のなかが透《す》けて見えるのです。白いテーブルクロスがかけられた食卓《しょくたく》にはぴかぴかの陶磁器《とうじき》が並《なら》び、リンゴとスモモを詰《つ》めてこんがり焼《や》いたガチョウのおいしそうなにおいが漂《ただよ》っています。そして、このかわいそうな女の子を何よりも喜《よろこ》ばせたのは、そのガチョウがぴょんと皿から飛《と》びおりて、胸《むね》にナイフとフォークを突《つ》き刺《さ》したまま、よちよちと床《ゆか》を進んで近づいてきたことでした。けれど、ちょうどそのときマッチの火が消え、どっしりとした冷《つめ》たい壁《かべ》があるだけになりました。そこで、女の子はまたマッチをすりました。すると、目の前に美しいクリスマスツリーが立っているではありませんか。その大きさや飾《かざ》りつけの見事なことといったら、お金持ちの商人の家のガラス戸ごしに見たクリスマスツリーだってかないません。青々とした大きな枝《えだ》には数えきれないほどのロウソクが灯《とも》され、ショーウィンドウで見るようなあざやかな色にぬられた人形がこちらを見おろしています。女の子が人形のほうに両手をさしのべると――マッチは消えてしまいました。クリスマスのロウソクは高く高くのぼっていき、とうとう空の星になると、そのひとつが長い火のような尾《お》を引いて流れおちていきます。

「あら、だれかが死ぬのね」女の子はつぶやきました。女の子を可愛《かわい》がってくれたただひとりの人で、いまはもう死んでしまったおばあさんが、言っていたからです。星が流れおちていくときには、だれかが天に召《め》されるんだよと。

女の子はまたマッチをすりました。マッチはすぐに赤々と輝《かがや》き、その光のなかになつかしいおばあさんが立っているのが見えました。まばゆいばかりに光っていて、とてもやさしい顔は愛《あい》にあふれています。

「おばあさん！」女の子は叫《さけ》びました。「ねえ、わたしもいっしょに連《つ》れていって！このマッチが燃《も》えつきたら、おばあさんもいなくなっちゃうんでしょう。暖《あたた》かなストーブ、おいしそうなガチョウのお料理《りょうり》、大きくて立派《りっぱ》なクリスマスツリーみたいに」

女の子は急いで箱入りのマッチをぜんぶ燃《も》やしてしまいました。おばあさんに消え

てほしくなかったからです。いきおいよく燃《も》えさかるマッチは昼間より明るく、なつかしいおばあさんはいっそう美しく、背《せ》が高く見えました。女の子を抱《だ》きしめたおばあさんは、光と喜《よろこ》びに包《つつ》まれてどんどん空高くのぼっていきます。そこにはもう寒さも、ひもじさも、悲しみもありません――おばあさんも女の子も神さまのところにいるからです。

けれど、ふたつの家の角に凍《こご》える夜明けが訪《おとず》れるころ、女の子はまだそこに座《すわ》っていました。頰《ほお》を赤くして、口もとにほほえみを浮《う》かべて――大晦日《おおみそか》の晩《ばん》に寒さで死んでしまったのです。新しい年の太陽がその小さな体を照《て》らしています。女の子は冷《つめ》たくなって、じっと動かずに座《すわ》ったまま手にマッチを持っており、ひと箱ぶんがほとんど燃《も》えていました。

「この子はきっと体を温めようとしたんだろう」だれかがそう言いました。だれも知らないのです。女の子がどんなに美しいものを見て、この喜《よろこ》ばしい新しい年におばあさんとどれほどすばらしいところへ行ったのかを。

旅の道連《みちづ》れ

かわいそうに、ヨアネスは途方《とほう》に暮《く》れていました。父さんが重い病気なのに、どうすることもできないからです。小さな部屋にふたりきり。テーブルに置《お》かれたランプは消えそうで、すっかり夜もふけていました。

「おまえはとびきりいい息子《むすこ》だったよ、ヨアネス」病気の父さんが言いました。「これからの暮《く》らしは、きっと神さまがお助けくださるだろう」そして、おだやかなまなざしでじっと息子《むすこ》を見つめ、深く息を吸《す》いこむと死んでしまいました。まるで眠《ねむ》ってしまったかのように。

ヨアネスはさめざめと泣《な》きました。これで本当にひとりぼっち、父さんも母さんもきょうだいもいません。かわいそうなヨアネス！　ヨアネスはベッドのかたわらにひざまずくと、死んだ父さんの片手《かたて》に口づけをして、しょっぱい涙《なみだ》をたくさん流しました。けれど、いつのまにか目をつぶり、ベッドの固《かた》い脚《あし》によりかかって眠《ねむ》ってしまいました。

そのあと、ヨアネスは不思議《ふしぎ》な夢《ゆめ》を見ました。目の前で太陽と月がおじぎをするのです。それから、生きている元気な父さんの姿《すがた》が見えて、とても機嫌《きげん》がいいときの笑《わら》い声《ごえ》まで聞こえました。おまけに、つややかな長い髪《かみ》に金の冠《かんむり》をのせた美しい娘《むすめ》がヨアネスに片手《かたて》をさし出すと、父さんが「ほら、おまえの花嫁《はなよめ》をごらん。世界一きれいな花嫁《はなよめ》さんだよ！」と言うのです。

そこでヨアネスは目が覚《さ》め、華《はな》やかな光景《こうけい》は消えてしまいました。父さんはベッドで死んで冷《つめ》たくなっており、ほかにはだれもいませんでした。かわいそうなヨアネス！

次の週に、父さんは埋葬《まいそう》されました。ヨアネスは棺《ひつぎ》のすぐあとを歩きました。これでもう、自分をかわいがってくれたやさしい父さんの姿《すがた》を見ることはできなくなるのです。ヨアネスは棺《ひつぎ》に土がかけられる音を聞き、棺《ひつぎ》の端《はし》がわずかにのぞくだけになるまで見守っていましたが、さらに土がかけられると、それも見えなくなりました。その瞬間《しゅんかん》、ヨアネスは悲しくて胸《むね》が張《は》り裂《さ》けそうになりました。まわりでは、みんなが讃美歌《さんびか》を歌っています。その美しさに涙《なみだ》があふれてきて泣《な》いてしまいましたが、おかげで悲しみがまぎれたのでしょう。お日さまが明るく緑の木立を照《て》らし、まるでこう言っているように思えました。「もう悲しんでいてはいけないよ、ヨアネス！　あの美しい空が見えるかい？　おまえの父さんはあそこにいて、おまえを守ってくださるよう、父なる神さまに祈《いの》っているからね」

「ぼく、いつも正しいことをします」ヨアネスは言いました。「そうすれば、ぼくも父さんのいる天国へ行けるし、そこで父さんとまた会えるはずだもの！　そしたら父さんとたくさん話をして、父さんからはいろんなものを見せてもらったり、生きていたころと同じように天国のすばらしさも教えてもらったりしよう。ああ、そのときが楽しみだなあ！」

その様子を思《おも》い浮《う》かべると、涙《なみだ》はあいかわらず頬《ほお》を伝《つた》っていましたが、ヨアネスはにっこりしました。小鳥たちがクリの木の枝《えだ》にとまり、「ピイピイ！　ピイピイ！」とさえずっています。お葬式《そうしき》だというのに、小鳥たちはとても陽気で楽しそうでした。死んだ男が天国へ行ったこと、そして自分たちよりもはるかに大きく美しい翼《つばさ》を手に入れたこと、いまではとても幸せなこと、それは地上で正しい行いをしてきたおかげだということを知っていて、それを喜《よろこ》んでいるかのようです。

ヨアネスは小鳥たちが緑の木から広い世界へ飛《と》んでいくのを見て、いっしょに飛《と》びたくなりました。けれども、まずは材木《ざいもく》を削《けず》って父さんの墓《はか》に立てる大きな十字架《じゅうじか》を作り、夕方それを持っていくと、なんとお墓《はか》にはもう砂《すな》が盛《も》ってあって、花が飾《かざ》ってありました。だれかがやってくれたのです。死んだ父さんは、みんなから好《す》かれていましたからね。

あくる朝早く、ヨアネスはささやかな荷物をまとめ、父さんが残《のこ》してくれた全財産《ぜんざいさん》の五十ターレルとシリング銀貨《ぎんか》いくつかを腰帯《こしおび》にしまいました。これを持って広い世界を見にいくのです。けれど、まずは教会の墓地《ぼち》にある父さんの墓《はか》にお参《まい》りして、神さまにお祈《いの》りをささげてから、こう言いました。

「さようなら、ぼくの大切な父さん！　ぼくはいつもいい人間であるように心がけますから、どうかぼくを守ってくださるよう、神さまにお伝《つた》えください」

ゆくてにある野の花はどれもみずみずしく、あたたかな日の光を浴《あ》びて咲《さ》いていました。おまけに、そよ風に吹《ふ》かれて「緑の森にようこそ！　ここはすてきなところでしょう？」とでも言いたげに会釈《えしゃく》しています。

けれど、ヨアネスはくるりと振《ふ》り返《かえ》り、もう一度、通いなれた教会を見つめました。幼《おさな》いころに洗礼《せんれい》を受け、日曜日になると父さんと礼拝《れいはい》に通い、讃美歌《さんびか》を歌ってきた教会です。上に目をやると、塔《とう》の風窓《かざまど》に赤いとんがり帽子《ぼうし》をかぶった教会のゴブリンがいて、まぶしくないよう目の前に腕《うで》をかざしています。ヨアネスが別《わか》れの挨拶《あいさつ》にゴブリンにうなずきかけると、ゴブリンは赤い帽子《ぼうし》を振《ふ》っては、片手《かたて》を胸《むね》にあてたり、何度も投げキスをよこしたりして、ヨアネスが無事《ぶじ》に旅することができるよう、これから幸せでいられるよう、祈《いの》ってくれました。

ヨアネスは広い世界でいったいどれだけのすてきなことに出会えるだろうと考えながら、それまで行ったことがないほど遠くまでどんどん進んでいきました。歩いているところも初《はじ》めての場所ですし、出会う人々のことも知りません。いつのまにかはるか遠くの知らない国に来ていたのです。

最初《さいしょ》の夜は、野原の干《ほ》し草《くさ》の山の上で眠《ねむ》ることになりました。ほかに寝場所《ねばしょ》がなかったからです。けれど、そこはとても寝心地《ねごこち》がよくて、王さまのベッドだってかなうまいと思われました。小川が流れる広い野原、干《ほ》し草《くさ》の山、そして青い空。間違《まちが》いなくすてきな寝場所《ねばしょ》です。ところどころに赤や白の小さな花が咲《さ》いている緑の野原は、じゅうたん。ニワトコの茂《しげ》みや野バラの生垣《いけがき》は、花たば。手を洗《あら》うたらいの代わりには、きれいな冷《つめ》たい水が流れる小川があります。目の前ではイグサがおじぎをして、

「おやすみ」とか「おはよう」と挨拶《あいさつ》してくれるのです。お月さまは青い天井《てんじょう》から吊《つ》るされたすてきな明かりですし、カーテンに燃《も》えうつる心配がいりませんから、ぐっすりと眠《ねむ》れます。まさに、ヨアネスはとてもよく眠《ねむ》れたので、日がのぼってあたりの小鳥がいっせいに「おはよう！　おはよう！　まだ起きないの？」と、さえずりはじめてから、ようやく目を覚《さ》ましたのでした。教会の鐘《かね》が鳴っていました。今日は日曜日です。牧師《ぼくし》さんの話を聞きにいく人々についていって、ヨアネスも讃美歌《さんびか》を歌い、神さまのお言葉を聞きました。洗礼《せんれい》を受けて、父さんと讃美歌《さんびか》を歌ったいつもの教会でしていたようにね。

　さて、教会の庭にはたくさんのお墓《はか》があって、草が伸《の》び放題《ほうだい》になっているところもありました。それを見たヨアネスは、父さんの墓《はか》もいつかこんなふうになるだろうなと思いました。もう自分には雑草《ざっそう》を抜《ぬ》くことも、刈《か》りこむこともできないのですから。

　そこで、その場にしゃがみ、伸《の》びた草を抜《ぬ》いたり、倒《たお》れている十字架《じゅうじか》を立てたり、お墓《はか》から吹《ふ》き飛《と》ばされた花輪《はなわ》を元の場所に戻《もど》したりしてやりました。「ひょっとしたら、父さんの墓《はか》にも、ぼくの代わりにだれかが同じことをしてくれるかもしれないもの」と思ったからですよ。

　教会のお墓《はか》の門の前に、年とった乞食《こじき》が杖《つえ》にすがって立っていました。ヨアネスは持っていたシリング銀貨《ぎんか》を乞食《こじき》にあげると、すっきりした気持ちで旅をつづけました。

夕方ごろ、ひどい嵐《あらし》がやってきました。どこかで雨風をしのごうと急ぎましたが、あっという間に真っ暗な夜になってしまい、やっとのことで丘《おか》の上にぽつんと建《た》っている小さな教会にたどりついたのでした。

「ここのすみっこで雨宿りさせてもらおう」とヨアネスは言いました。「へとへとだから、ひと休みしなくちゃ」こうして、ヨアネスは腰《こし》をおろすと、両手を組み合わせて夕べの祈《いの》りをささげ、外では嵐《あらし》が吹《ふ》きあれるなか、いつのまにか眠《ねむ》りこんで夢《ゆめ》を見ていました。


目を覚《さ》ましたときには真夜中になっていましたが、嵐《あらし》はすぎ去っており、窓越《まどご》しに月の光が射《さ》しこんでいました。通路のまんなかに、ふたの開いた棺《ひつぎ》があって、中に死んだ男が入っていいます。まだ埋《う》められる前だったのですね。ヨアネスは心にやましいところがなく、死んだ人が悪さをすることはないとよくわかっていたので、ちっともびくびくしませんでした。生きている悪い人たちのほうが、ずっとこわいものなのです。

そして、まさしくそんな悪い人たちふたりが、埋《う》めるために教会に置《お》かれていた死んだ男のそばに立っていたのです。悪い人たちは死んだ男に対してひどいことをしようとしていました。せっかく棺《ひつぎ》のなかで安らかに眠《ねむ》っているのに、教会の扉《とびら》の前に転がしてやろうというのです。死んだ人になんてひどいことをするのでしょう！

「なぜそんなことをするんですか？」ヨアネスは尋《たず》ねました。「そんなことをしてはいけないし、人の道にはずれていますよ。お願《ねが》いですから、そのまま静《しず》かに眠《ねむ》らせてあげてください！」

「そうはいくか！」悪人たちは言いました。「こいつはおれたちをだましやがってな。おれたちから金を借《か》りといて、返さねえんだ。おまけに死んじまったもんで、こっちにゃ、びた一文、戻《もど》ってこないんだぞ！　だから、その仕返しをしてやろうってんだ。こんなやつ、犬みたいに教会の外にほっぽり出しときゃいいのさ！」

「ぼくには五十ターレルしかありませんけど」とヨアネスは言いました。「全財産《ぜんざいさん》を喜《よろこ》んでさしあげますから、このかわいそうな人をそっとしておくと約束《やくそく》してください。ぼくならお金なんかなくたって、やっていけます。体は丈夫《じょうぶ》だし、神さまがいつも見守ってくれていますから」

「いいとも」悪人たちは言いました。「おまえさんが借金《しゃっきん》を肩代《かたが》わりしてくれるってんなら、こいつに手出しはしねえよ。誓《ちか》ってもいい！」そんなわけで、ふたりはヨアネスがさし出したお金を受けとり、なんてお人よしなんだと笑《わら》いながら、どこかへ行ってしまいました。

けれど、ヨアネスは死んだ男をまた棺《ひつぎ》のなかに横たえると、両手を組み合わせてやってから、さようならと言って、心も晴れ晴れと大きな森のなかへ入っていきました。

月が照《て》らす木々のあいだのそこかしこで、美しい妖精《ようせい》たちが楽しそうに遊んでいます。ヨアネスがいても気にする様子はありません。妖精《ようせい》たちはヨアネスが心のきれいな、やさしい人間だとわかっていましたからね。そもそも妖精《ようせい》たちの姿《すがた》を見ることができないのは、悪い人間だけなんです。なかには指一本ぐらいの大きさしかないのもいて、長い金髪《きんぱつ》を黄金のくしでまとめていました。みんな、葉っぱや長い草の上の大きなしずくにふたりずつ乗って、ゆらゆら揺《ゆ》らして遊んでいます。ときどき、そのしずくが転がりおちると、妖精《ようせい》たちも長い草の茎《くき》のあいだに落ちて、ほかの妖精《ようせい》たちを大笑《おおわら》いさせるのでした。なんて楽しそうなのでしょう！　妖精《ようせい》たちが歌うのを聞いて、ヨアネスはすぐに気づきました。これは自分が幼《おさな》いころに覚《おぼ》えた美しい歌だって。

それから、体に斑点《はんてん》があって頭に銀の冠《かんむり》をつけたクモたちが、あっちの垣根《かきね》からこっちの垣根《かきね》へ糸を吐《は》いて、せっせと長いつり橋と宮殿《きゅうでん》をつくっています。その上に落ちたしずくは、月の光のなかで輝《かがや》くガラスのようでした。これは日の出までつづいたんですよ。お日さまが出ると、小さな妖精《ようせい》たちは花のつぼみのなかにもぐりこみ、大きなクモの巣《す》でできた妖精《ようせい》たちのつり橋や宮殿《きゅうでん》は、風を受けて空を飛《と》んでいきました。

ヨアネスがちょうどその森から抜《ぬ》けたとき、後ろからだれかに大声で呼《よ》びとめられました。「やあ、そこのきみ！　どこへ行くんだい？」

「広い世界を見にいくんです！」ヨアネスは言いました。「父さんも母さんもいなくて、あわれな身の上なんだけど、いつだって神さまがお守りくださるのでね」

「わたしも広い世界を見にいくところなんだ」その男は言いました。「いっしょに旅をしようじゃないか」

「それはいい考えですね」ヨアネスはそう答え、男といっしょに旅をつづけました。ふたりはすぐ仲《なか》よくなりましたが、それはどちらもきれいな心の持ち主だったからです。けれど、ヨアネスは相手が自分よりもずっと賢《かしこ》いことに気づきました。男は世界中ほとんどの場所を旅したことがあって、この世のことをなんでも知っているようだったのです。

お日さまが空高くのぼったころ、ふたりが朝食にしようと大きな木の下に腰《こし》をおろすと、ひとりのおばあさんがやってきました。ずいぶん年を取っているらしくて腰《こし》がすっかり曲がり、杖《つえ》をつきながら歩くその背中《せなか》には、森で集めてきたひと抱《かか》えのたきぎをしょっています。おばあさんはエプロンをしていて、そこからシダの大枝《おおえだ》三本とヤナギの小枝《こえだ》が何本か飛《と》び出していました。おばあさんはふたりのすぐそばまで来ると足をすべらせて転び、大きな悲鳴をあげました。足の骨《ほね》が折《お》れてしまったのです。かわいそうに！

ヨアネスはすぐに、ふたりでおばあさんを家まで運んであげようと言いましたが、男は背負《せお》い袋《ぶくろ》を開けて小さなびんを取り出し、このなかには折《お》れた足をあっという間に元どおりにする薬が入っているから、おばあさんは怪我《けが》などしなかったかのように歩いて家に帰れるよと言いました。ただし、お礼におばあさんのエプロンに入っている大枝《おおえだ》三本がほしいと言うのです。

「こんなもんでよけりゃ、いいとも！」おばあさんはそう言いましたが、どこかぎこちないうなずき方でした。じつは、おばあさんは大枝《おおえだ》を渡《わた》したくなかったのですが、足が折《お》れたままこんなところに倒《たお》れていたくはありません。そこで、男に大枝《おおえだ》を渡《わた》して薬をぬってもらうと、すぐに立ちあがって、これまでよりずっとすいすい歩けるようになりました。それほどよく効《き》く薬だったんですよ。ただし、これは薬屋で買えるようなものではありませんでした。

「そんな枝《えだ》をどうするんです？」ヨアネスは旅の道連《みちづ》れに尋《たず》ねました。

「この三本は、立派《りっぱ》なシダのほうきになるんだ」男は言いました。「こういうのが、どうしようもなく好《す》きでね。変《か》わり者《もの》なもんで」

こうして、ふたりはまたしばらく歩きつづけました。

「空が曇《くも》ってきましたよ」ヨアネスがまっすぐ前を指さして言いました。「ずいぶん分厚《ぶあつ》い雲ですね」

「いいや」旅の道連《みちづ》れは言いました。「あれは雲じゃなくて山だよ。美しい大きな山がいくつも連《つら》なってるんだ。あそこに登れば、空気の澄《す》んだ雲の上に出られてね。すがすがしいったらないんだよ！　明日には、わたしたちはもっと広い世界が見られるだろうな」

ところが、その山は思ったほど近くありませんでした。ふたりがまる一日歩いてようやくふもとに着くと、黒い森が空にすっくとそびえ、村ひとつ分ぐらいありそうな岩がいくつもごろごろしています。それを越《こ》えるのは骨《ほね》が折《お》れるにちがいないので、ヨアネスと男は宿屋に入りました。ゆっくり休んで、明日の旅にそなえようというのです。

宿屋の広間には、たくさんの人がつめかけていました。人形つかいが来ていたのです。人形つかいはそこに小さな舞台《ぶたい》をしつらえたばかりで、みんなは人形劇《にんぎょうげき》を見ようとそのまわりに座《すわ》っていました。一番前の一番いい場所には、でっぷり太った肉屋がじんどっています。その隣《となり》に座《すわ》っているのは、なんと、肉屋が飼《か》っている大きなブルドッグです！　ものすごくこわい顔をして、ほかのみんなと同じように、目をまん丸に見開いていました。

やがて、人形劇《にんぎょうげき》が始まりました。それは王さまとお妃《きさき》さまが出てくる楽しいお話でした。豪華《ごうか》な玉座《ぎょくざ》についているふたりは金の冠《かんむり》をかぶり、服の裾《すそ》を長く引きずっています。とてもお金持ちだからですよ。ガラスの目をして立派《りっぱ》な口ひげのある、いちだんと立派《りっぱ》な木の人形たちが、どの戸口にも立ち、空気の入れかえのために扉《とびら》を開けたり閉《し》めたりしていました。

それはとても感じのいい芝居《しばい》で、少しも悲しくはありませんでした。ところが、ブルドッグが何を思ったか、肉屋がきちんとつかまえていなかったもので、舞台《ぶたい》へ飛《と》び上《あ》がり、ちょうど立ち上がって舞台《ぶたい》の上を歩き出したお妃《きさき》さまのほっそりとした腰《こし》にがぶっとかみついたのです。「パキパキッ」という音がしました。なんて恐《おそ》ろしいことでしょう！

ひとりで人形劇《にんぎょうげき》をやっていた気《き》の毒《どく》な男はすっかりふるえあがってしまい、お妃《きさき》さまを見て嘆《なげ》き悲《かな》しみました。一番美しい人形だったのに、気の荒《あら》いブルドッグに首をかみ切られてしまったのですから。

けれど、あとで人々がいなくなると、ヨアネスと旅をしている男がお妃《きさき》さまの人形を元どおりにしてあげようと言って、またあの小びんを取り出し、薬を人形にぬりました。ほら、おばあさんが足の骨《ほね》を折《お》ったときにつけて治《なお》してあげた、あの薬です。

そのとたん、お妃《きさき》さまの人形は元どおりになりました。それどころか、ひとりで手足を動かせるようになったんですよ。もう糸で操《あやつ》ってもらう必要《ひつよう》などありません。その人形は、まあ、話すことはできませんが、まるで生きている人間のようでした。人形つかいが喜《よろこ》んだことといったら。なにしろ、もう糸を持っていなくても、ひとりで踊《おど》れるのですからね。そんなことができる人形は、ほかにいません。

夜になって、宿屋にいる人たちがみんな眠《ねむ》りについたころ、だれかが深々とため息をつくのが聞こえました。それがいつまでもつづくので、みんなはいったい何ごとかと起きて見にいきました。人形つかいが小さな舞台《ぶたい》のほうへ行ったのは、ため息がそこから聞こえてくるからです。そこには木の人形が王さまも家来たちもみんないっしょに転がっていて、あわれっぽくため息をつきながら、ガラスの目をぱっちりと開けていました。自分たちもお妃《きさき》さまのように少し薬をぬってもらって、ひとりで動けるようになれたらいいなあと思っていたのです。

するとお妃《きさき》さまの人形がすぐさまひざまずいて、美しい冠《かんむり》をさし出しながら頼《たの》みました。「これをさしあげますから、どうか夫《おっと》や家来たちにも薬をぬってくださいまし！」それを聞いた人形つかいの男は、おいおい泣《な》き出しました。人形たちがかわいそうでたまらなくなったのです。そこで、さっそくヨアネスの旅の道連《みちづ》れにこう約束《やくそく》しました。四つか五つの人形たちにあの薬をぬってくれたら、明日の晩《ばん》に人形劇《にんぎょうげき》で稼《かせ》ぐお金をすべてあげますとね。

けれど、旅の道連《みちづ》れは、人形つかいが腰《こし》から下げているその大きな剣《けん》さえもらえれば、ほかには何もいらないと言って、その剣《けん》と引きかえに六つの人形に薬をぬってやりました。たちまち、人形たちはすべるように踊《おど》りはじめ、それを見ていた人間の娘《むすめ》たちもつられて踊《おど》り出しました。ついで、御者《ぎょしゃ》や料理人《りょうりにん》も、給仕人《きゅうじにん》もお手伝いさんも、宿の見知らぬお客さんたちも、いっしょに踊《おど》ります。なんと、石炭すくいや火ばしまで踊《おど》り出しましたが、石炭すくいと火ばしは生まれて初《はじ》めてジャンプしたので、転んでしまったのでした。なんとまあ、楽しい夜だったことか！

次の朝、ヨアネスと旅の道連《みちづ》れはまたふたりきりで出発し、高い山を登り、深いマツの森を進んでいきました。とても高く登ったので、やがて下のほうの教会の尖塔《せんとう》が、一面の緑に囲《かこ》まれた小さな赤いイチゴのようになりましたし、はるかかなたの行ったことのないところまで見渡《みわた》すことができました。このすばらしい世界にある、これほどたくさんの美しいものを、ヨアネスはそれまで見たことがありませんでした。

さわやかな青い空からは、お日さまの光がぽかぽかと降《ふ》りそそぎ、山で狩人《かりゅうど》たちが吹《ふ》いている角笛が、明るくやさしげに響《ひび》いてきます。喜《よろこ》びの涙《なみだ》がこみ上げ、ヨアネスは思わずこう叫《さけ》びました。「この世界にあるたくさんのすばらしいものをぼくたちに与《あた》えてくださるなんて、神さまはなんておやさしいんだろう！」

旅の道連《みちづ》れも両手の指を組み合わせてそこに立ち、あたたかな日射《ひざ》しを浴《あ》びながら、森や町を眺《なが》めました。

そのとき、頭上からえもいわれぬ美しい音楽が聞こえてくるのに気づきました。見上げると、大きな白鳥がゆうゆうと空を飛《と》びながら鳴いています。それはふたりがこれまで聞いたことのない鳥の歌でした。ところが、その鳴き声はどんどん弱々しくなっていき、美しい白鳥は頭を垂《た》れてゆっくりとふたりの足元に落ちてきて、死んでしまったのです。

「なんてみごとな翼《つばさ》だろう」旅の道連《みちづ》れは言いました。「この白鳥の翼《つばさ》は真っ白で大きいから、高く売れそうだよ。この二枚《まい》の翼《つばさ》をいただくことにしよう。剣《けん》をもらっておいてよかったと思わないか?」

そうして、男は死んだ白鳥の両方の翼《つばさ》をひと太刀《たち》で切り落としたのでした。


それからふたりが山を越《こ》えて長いあいだ歩いていくと、やがて大きな町が見えてきました。数えきれないほどの塔《とう》が、太陽に照《て》らされて銀色に光っています。町のまんなかには立派《りっぱ》な大理石の宮殿《きゅうでん》があって、屋根は混《ま》じりけのない赤金《あかがね》でできていました。そこに王さまが暮《く》らしているのです。

ヨアネスと旅の道連《みちづ》れはすぐ町に入らず、町はずれにある宿屋に寄《よ》りました。身なりを整えるためです。町なかを歩きまわるとき、見苦しくないようにしたかったのですよ。

すると、宿屋の主人はふたりにこんな話をしてくれました。王さまはとても心の清《きよ》い人で、これまでだれにもいやな思いをさせたことはないけれど、その娘《むすめ》ときたら、なんとまあ、ひどいお姫《ひめ》さまなのだと。それはもう美しくて、あれほど麗《うるわ》しくておきれいな方はいないけれど、それが何になるのでしょう、お姫《ひめ》さまは意地悪な魔女《まじょ》で、そのためにたくさんの勇敢《ゆうかん》な王子たちが命を落としたというのでした。

お姫《ひめ》さまは、だれでも結婚《けっこん》の申しこみをしにきてもよいというお触《ふ》れを出していました。王子でも乞食《こじき》でも、だれでもよいと。どちらでも、お姫《ひめ》さまには同じだったからです。ただ、申しこみにきた者は、お姫《ひめ》さまがそのときちょうど考えていることを尋《たず》ねられ、それを三つ当てなければなりません。それができればお姫《ひめ》さまと結婚《けっこん》して、お姫《ひめ》さまのお父さまが亡《な》くなったときにこの国の王さまになれますが、三つとも当てることができなければ、首を吊《つ》られるか切られるかしかないのです！　まったくもう、美しいけれど血も涙《なみだ》もないお姫《ひめ》さまですよね！

お父さんである年老《としお》いた王さまは、そのことをたいそう悲しんでいましたが、娘《むすめ》にひどい仕打ちをやめさせることはできませんでした。なぜなら以前《いぜん》に、おまえに結婚《けっこん》を申しこんでくる者についてはいっさい口出しをしないから、好《す》きにするがいいと言ったことがあるせいです。

王子さまがやってきては、お姫《ひめ》さまと結婚《けっこん》するために何を考えているか当てようとして、そのたびに失敗《しっぱい》し、首を吊《つ》られたり切られたりしました。まあ、王子さまたちはみんな前もって注意されていたのですから、結婚《けっこん》を申しこみになど行かなければよかったのですけれどね。

年よりの王さまはこんなひどいことをなんとかやめさせたくて、毎年、まる一日かけて、家来の兵隊《へいたい》たちとひざまずき、お姫《ひめ》さまが心やさしくなってくれるようにと祈《いの》りを捧《ささ》げました。けれど、何をしてもお姫《ひめ》さまは変《か》わりません。ブランデーを飲むおばあさんたちは、いつもそれを黒く色づけして飲んでいました。亡《な》くなった王子さまたちのことをそれほど深く悲しんでいたのです。できることといったら、そのくらいしかありませんでした。

「なんていやなお姫《ひめ》さまなんだろう！」ヨアネスは言いました。「鞭《むち》で打ってやればいいのに。そうすれば少しは心を入れかえるだろうに。ぼくがお年よりの王さまなら、血が流れるほど鞭《むち》で打ってやるんだけどなあ！」

ヨアネスがそう言ったとき、外から人々が「万歳《ばんざい》！」と叫《さけ》ぶ声が聞こえてきました。お姫《ひめ》さまが通りかかったのです。その姿《すがた》があまりにも美しいので、みんなはお姫《ひめ》さまがひどい人であることも忘《わす》れて「万歳《ばんざい》！」と叫《さけ》んでいたのでした。

十二人の美しい娘《むすめ》が真っ白な絹《きぬ》のドレスを着て、それぞれ手に金のチューリップを一本ずつ持ち、真っ黒な馬に乗ってお姫《ひめ》さまに付《つ》き従《したが》っていました。お姫《ひめ》さまが乗っているのは、ダイヤモンドとルビーで飾《かざ》られた真っ白な馬です。乗馬服はすべて金の糸で織《お》られた布《ぬの》で仕立ててあり、手に持った鞭《むち》はお日さまの光のように見えました。頭にのせた金の冠《かんむり》は夜空の星さながらに輝《かがや》き、マントは千羽以上《いじょう》のチョウの羽を縫《ぬ》い合《あ》わせて作られています。それなのに、お姫《ひめ》さまのほうが、身につけているものよりもずっときれいなのでした。

お姫《ひめ》さまの顔を見たヨアネスは、血のしずくと同じくらい顔が真っ赤になり、ひと言も口をきけなくなりました。お姫《ひめ》さまは、父さんが死んだ夜に夢《ゆめ》に出てきた、金の冠《かんむり》をかぶった美しい娘《むすめ》にそっくりだったのです。ヨアネスはすっかりお姫《ひめ》さまに夢《む》中《ちゅう》になり、心から愛《あい》さずにはいられなくなってしまいました。お姫《ひめ》さまが悪い魔《ま》女《じょ》で、自分が出す問題に答えられなかった人たちの首を吊《つ》るしたり切ったりさせるなんて、本当のはずはありません。

「だれでもあのお姫《ひめ》さまに結婚《けっこん》の申しこみができるんですね。たとえ一文なしの乞《こ》食《じき》でも。だったら、ぼく、お城《しろ》に行くことにします。やってみたいんです！」

みんなはヨアネスを思いとどまらせようとしました。ほかの人たちと同じ目にあうに決まっているからです。旅の道連《みちづ》れも、必死《ひっし》にやめさせようとしましたが、無駄《むだ》でした。ヨアネスは、きっとうまくいくと信《しん》じていたのです。靴《くつ》や服にブラシをかけ、

顔と手を洗《あら》い、きれいな金髪《きんぱつ》をとかすと、ひとりきりで町に入ってお城《しろ》へ向かいました。

「お入り！」年老《としお》いた王さまは言いました。ヨアネスが扉《とびら》をノックしたからです。

ヨアネスが扉《とびら》を開けると、お年よりの王さまはガウンに刺繍《ししゅう》入りの室内ばきという格好《かっこう》で出迎《でむか》えてくれました。冠《かんむり》をかぶり、片手《かたて》に王さまの杖《つえ》、もう一方の手に金のリンゴを持っています。

「ちょっとお待ち！」王さまはそう言ってリンゴを小脇《こわき》に抱《かか》えると、片手《かたて》をヨアネスにさし出しました。けれど、客がお姫《ひめ》さまに結婚《けっこん》の申しこみをしにきたと知ったとたん、おいおいと泣《な》きはじめて、王さまの杖《つえ》もリンゴも地面に落としてしまい、ガウンで涙《なみだ》をふかなければなりませんでした。なんてかわいそうなお年よりの王さまなのでしょう！

「やめなさい！」王さまは言いました。「おまえもこれまでの者たちと同じ、ひどい目にあうだけだ。さあ、こっちに来て見てごらん！」

そう言うと、王さまはヨアネスをお姫《ひめ》さまの庭へ連《つ》れていきました。そこにはなんとも恐《おそ》ろしい光景《こうけい》が広がっていました！　庭にある木という木に、お姫《ひめ》さまに結婚《けっこん》を申しこんだけれども出された問題に答えられなかった王子が三、四人ずつ吊《つ》るされているのです。そよかぜが吹《ふ》くたびに、その骸骨《がいこつ》たちがそろってカタカタと鳴るので、小鳥たちは怖《こわ》がってこの庭にやってこようとしません。花はどれも人間の骨《ほね》に結《むす》びつけてあって、植木鉢《うえきばち》のなかでは頭蓋骨《ずがいこつ》が歯をむき出してにやりとしています。これがお姫《ひめ》さまの庭だとは、なんて不気味《ぶきみ》なのでしょう。

「ほら、これでわかっただろう」年よりの王さまが言いました。「おまえも、いまここで見た者たちと同じ運命になってしまうのだよ。だから、やめておいたほうがいい。さもないと、おまえのせいでわたしは心から悲しむことになる。このことではすっかり胸《むね》をいためておるのでな」

ヨアネスは王さまの手に口づけをして、きっとうまくいきますよ、ぼくは美しいお姫《ひめ》さまに夢中《むちゅう》なのですからね、と言いました。

ちょうどそのとき、お姫《ひめ》さまがお付《つ》きの娘《むすめ》たちといっしょに馬に乗って庭に入ってきたので、ふたりはお姫《ひめ》さまを出迎《でむか》えて挨拶《あいさつ》しました。お姫《ひめ》さまは見目うるわしく、ヨアネスに片手《かたて》をさし出してくれました。すると、ヨアネスはますますお姫《ひめ》さまが大《だい》好《す》きになってしまい、この人がみんなの言うような血も涙《なみだ》もない悪い魔女《まじょ》のはずはないと思いました。

そのあと、いっしょに広間に入ると、召使《めしつか》いの少年たちがジャムとショウガ入りクッキーを運んできました。けれど、年よりの王さまは悲しみのあまり、何も食べることができませんでした。そうでなくても、ショウガ入りクッキーは王さまには固《かた》すぎましたけれど。

ヨアネスは次の朝にもう一度、お城《しろ》に行くことになりました。そのときには裁判官《さいばんかん》たちや大臣《だいじん》全員があつまり、ヨアネスが正しく答えられるかどうかを見守るのです。そこでちゃんと答えられたら、ヨアネスはさらに二度お城《しろ》へ行くことになります。でも、これまでのところ、一度めのときですら正しく答えられた者はいません。みんな命を落としてしまったのです。

ヨアネスは自分がどうなるのかなど、これっぽっちも心配していませんでした。それどころか、なんだかとてもうきうきして、美しいお姫《ひめ》さまのことばかり考え、神さまがお助けくださると信《しん》じていました。まあ、どうやって助けてくれるのかはわかりませんでしたし、そのことについて考えたくもありませんでしたけどね。ヨアネスが宿屋までの道を小躍《こおど》りしながら帰ると、旅の道連《みちづ》れが待っていました。

ヨアネスは旅の道連《みちづ》れに、お姫《ひめ》さまがどれほどすてきで美しかったかをくりかえし話さずにはいられませんでした。そして、早く明日になって、お城《しろ》へ行き、正しい答えができるかどうか運試《うんだめ》しをするのが待ち遠しいと言いました。

けれど、旅の道連《みちづ》れは首を振《ふ》りながら、たいそう悲しい顔をしています。「わたしはおまえさんのことが大好《だいす》きなんだ！」旅の道連《みちづ》れはそう言いました。「もっと長い時間いっしょにいられたかもしれないのに、もうおまえさんがいなくなってしまうとは！　かわいそうなヨアネス！　大声で泣《な》きたいくらいだけど、いっしょにすごせる最後《さいご》の晩《ばん》になるかもしれないから、おまえさんのうれしさをぶちこわしはしないよ。楽しくすごそう、とびっきり楽しく！　明日、おまえさんが行ってしまったら、思いっきり泣《な》きゃいいんだから」

すぐに町中の人たちは、またがだれかがお姫《ひめ》さまに結婚《けっこん》を申しこんだことを知り、そのため町は深い悲しみにつつまれました。芝居《しばい》小屋は閉《し》まり、お菓子《かし》屋のおかみさんたちは砂糖細工《さとう》の人形に黒い布《ぬの》をつけ、王さまと牧師《ぼくし》さんたちは教会でひざまずきました。その悲しみの深さといったら、ありません。みんなはヨアネスにも、これまでお姫《ひめ》さまに結婚《けっこん》を申しこんだ者と同じ運命が待っていると思いこんでいたのです。

夕方になって、旅の道連《みちづ》れは大きな鉢《はち》にパンチ酒を作ると、ヨアネスに言いました。

「さあ、陽気にやろうじゃないか。お姫《ひめ》さまの健康《けんこう》を願《ねが》って飲もう」

けれど、ヨアネスはグラスに二杯《はい》飲んだだけで眠《ねむ》くてたまらなくなって、目を開けていられず、ぐっすり眠《ねむ》りこんでしまいました。旅の道連《みちづ》れはヨアネスをそっと椅子《いす》から抱《かか》え上《あ》げてベッドに寝《ね》かせると、あたりがすっかり暗くなったころ、白鳥から切り取ってあった大きなふたつの翼《つばさ》を取り出し、自分の両肩《りょうかた》にしっかり結《ゆ》わえつけました。それから、転んで足の骨《ほね》を折《お》ったおばあさんからもらった大枝《おおえだ》の一番長いのをポケットに入れ、窓《まど》を開けて町の上をお城《しろ》に向かってまっすぐ飛《と》んでいったのです。そしてお城《しろ》に着くと、お姫《ひめ》さまの寝室《しんしつ》がのぞきこめる窓《まど》の下のすみっこに身をひそめました。

町中がひっそりと静《しず》まりかえっていました。時計が十二時十五分前を知らせると、窓《まど》が開き、長くて白いマントを着たお姫《ひめ》さまが長くて黒い翼《つばさ》をつけて、町の上を飛《と》んで高い山へ向かっていきます。旅の道連《みちづ》れは自分の姿《すがた》を見えなくすることができるので、お姫《ひめ》さまに見つからずにすぐ後ろを飛《と》びながら、持っていた大枝《おおえだ》でお姫《ひめ》さまを打ちました。ひと打ちごとに、お姫《ひめ》さまの体から血が出ます。いやはや、なんという空の旅なのでしょうか！　お姫《ひめ》さまのマントが風をはらんで、船の帆《ほ》のように大きく広がり、お月さまの光がそれをすかして輝《かがや》いていました。

「まあ、あられが降《ふ》っているわ！　なんてひどいあられなの！」大枝《おおえだ》で打たれるたびに、お姫《ひめ》さまはそう言いました。大枝《おおえだ》で打たれて、あたりまえですよね。

ようやく山に着くと、お姫《ひめ》さまはトントンと山をたたきました。すると、雷《かみなり》がとどろくような音がして山が開き、お姫《ひめ》さまは中に入っていきました。

旅の道連《みちづ》れも、そのあとにつづきます。姿《すがた》を見えなくしていたので、だれにも見つかりません。ふたりが進んでいく大きな長い通路は、壁《かべ》が不思議《ふしぎ》な色に輝《かがや》いていました。千匹以上《びきいじょう》の光るクモたちが壁《かべ》をはいまわり、火のように光っていたのです。

やがて、ふたりは銀と金でできた大広間にやってきました。ヒマワリほどもある赤と青の花が壁《かべ》から光を放っています。けれど、だれにもこの花を摘《つ》むことができません。だって、茎《くき》はぞっとするような毒《どく》ヘビですし、花はその毒《どく》ヘビたちが口から吐《は》き出《だ》す炎《ほのお》だったのですから。天井《てんじょう》はピカピカ光るホタルや、薄《うす》い翼《つばさ》をはばたかせている空色のコウモリでびっしりおおわれていました。恐《おそ》ろしいとしか言いようがありません！

広間の中央には、玉座《ぎょくざ》がひとつありました。それを支《ささ》えているのは四つの馬の骸骨《がいこつ》で、馬たちは火のような真っ赤なクモでできた馬具をつけています。玉座《ぎょくざ》はお乳《ちち》のように白いガラスでできていて、クッションはお互《たが》いの尻尾《しっぽ》にかみついている小さな黒いネズミたちです。玉座《ぎょくざ》の上にはバラ色のクモの巣《す》の天蓋《てんがい》があって、きれいな緑の小さいハエがちりばめられ、エメラルドのように輝《かがや》いていました。

玉座《ぎょくざ》に座《すわ》っているのは、年よりの魔法使《まほうつか》いです。醜《みにく》い頭に冠《かんむり》をのせ、片手《かたて》に王さまが持つ杖《つえ》を握《にぎ》っています。魔法《まほう》使《つか》いがお姫《ひめ》さまの額《ひたい》に口づけをして、豪華《ごうか》な玉座《ぎょくざ》の自分の横に座《すわ》らせると、音楽が鳴りはじめました。大きな黒いキリギリスがハーモニカを吹《ふ》き、フクロウが翼《つばさ》を自分のおなかに打ちつけました。フクロウは太鼓《たいこ》を持っていなかったからです。

それはもう風変《ふうが》わりな音楽会でした。小さな黒いゴブリンたちが小さな帽子《ぼうし》に鬼火《おにび》のついた棒《ぼう》をさして、大広間のなかをはねまわっています。けれど、旅の道連《みちづ》れの姿《すがた》に気づいた者は、だれもいませんでした。旅の道連《みちづ》れは玉座《ぎょくざ》のすぐ後ろに身をひそめて、ひとつ残《のこ》らず聞いたり見たりしていたのです。

さて、次にやってきた家来たちは、とても立派《りっぱ》で堂々《どうどう》としていました。でも、見る目のある者なら、だれだってその正体がわかります。家来たちはキャベツの頭をつけたホウキだったのですよ。魔法使《まほうつか》いが魔法《まほう》で命を吹《ふ》きこみ、刺繍《ししゅう》した服を着せていたのでした。別《べつ》にそれでかまわなかったのです。見栄《みば》えだけよくするためだったのですからね。

しばらく踊《おど》りがつづいてから、お姫《ひめ》さまは魔法使《まほうつか》いに話しかけました。また結婚《けっこん》を申しこみにきた人がいるので、明日の朝、お城《しろ》にやってくるその人に当てさせるために、どんなことを心のなかで考えていたらいいかしら、と聞いたのです。

「そうか！」魔法使《まほうつか》いは答えました。「いいことを教えてやろう。とても簡単《かんたん》なことにするがいい。そのほうがかえって当たらないもんだ。おまえの靴《くつ》のことでも考えていてごらん。それだったら、当たりっこない。で、そいつの頭を切り落とせ。ただし、忘《わす》れるんじゃないぞ。明日の晩《ばん》、ここに来るときには、その目玉を持ってくるんだ。

わしが食ってやるんだからな」

お姫《ひめ》さまは深々とお辞儀《じぎ》をすると、忘《わす》れずに目玉を持ってきますと言いました。魔《ま》法使《ほうつか》いが山を開くと、お姫《ひめ》さまはお城《しろ》へ帰ろうと、また空を飛《と》んでいきます。旅の道《みち》連《づ》れはそのあとを追いかけ、またあの大枝《おおえだ》でお姫《ひめ》さまをびしびしと打ったので、お姫《ひめ》さまはなんてひどいあられの嵐《あらし》なのかしらとうめきながら急ぎに急ぎ、窓《まど》から自分の部屋へ戻《もど》りました。

旅の道連《みちづ》れも空を飛《と》んで宿屋に戻《もど》りました。ヨアネスはまだ眠《ねむ》っています。そこで、旅の道連《みちづ》れは翼《つばさ》をはずし、ベッドに横になりました。疲《つか》れていたにちがいありません。


あくる朝、ヨアネスはとても早く目を覚《さ》ましました。旅の道連《みちづ》れも起きて、ヨアネスにこんな話をしました。夜のあいだにお姫《ひめ》さまとその靴《くつ》が出てくる面白《おもしろ》い夢《ゆめ》を見たから、お姫《ひめ》さまに靴《くつ》のことを考えていませんかと尋《たず》ねてみてごらんと。だって、旅の道連《みちづ》れは山で魔《ま》法使《ほうつか》いがそう言うのを聞いていたのですからね。

「そんなふうに尋《たず》ねてもよさそうですね」ヨアネスは言いました。「あなたが夢《ゆめ》に見たことが正しい答えかもしれません。だって、神さまはいつもぼくを助けてくださるにちがいないんだもの。だけど、あなたにはさよならを言っておきますよ。もしぼくの答えが間違《まちが》っていたら、あなたとは二度と会えないでしょうから」

旅の道連《みちづ》れと抱《だ》き合《あ》って挨拶《あいさつ》をすると、ヨアネスは町へ行ってお城《しろ》に向かいました。

広間には人々がつめかけていました。裁判官《さいばんかん》たちは肘《ひじ》かけ椅子《いす》に座《すわ》り、羽毛《うもう》のぎっしり入ったクッションを頭の後ろに当てています。だって、この人たちには考えなければならないことが山ほどあるのですから。

年よりの王さまは立ち上がって、白いハンカチで目をぬぐいました。そのとき、お姫《ひめ》さまが入ってきました。昨日《きのう》よりもいっそう美しく、みんなにたいそうしとやかにお辞儀《じぎ》をしましたが、ヨアネスには片手《かたて》をさし出して「おはようございます」と挨拶《あいさつ》をしました。

さあ、いよいよヨアネスはお姫《ひめ》さまが何を考えているか、当てなければなりません。お姫《ひめ》さまがヨアネスを見る、やさしげなまなざしといったら！　けれど、ヨアネスが「靴《くつ》」と言うのを聞いたとたん、お姫《ひめ》さまは真っ青になって、ぶるぶると震《ふる》えはじめました。でも、もうどうすることもできません。だって、ヨアネスの答えは正しかったのですからね。

お見事！　年よりの王さまの喜《よろこ》びようといったら、ありません！　王さまが思わず宙返《ちゅうがえ》りをすると、それを見たみんなもうれしくなり、王さまのために、そしてヨアネスのために、拍手《はくしゅ》をしました。ヨアネスだけが初《はじ》めて正しい答えを言えたのです！

旅の道連《みちづ》れも、うまくいったと知って大喜《おおよろこ》びしました。ヨアネスは手を組み合わせて神さまにお礼を言いました。神さまが一度めと同じように、二度めも三度めも助けてくださると信《しん》じていたのです。ヨアネスは次の日、またお姫《ひめ》さまの考えていることを当てることになっていました。

その晩《ばん》は、前の晩《ばん》と同じようにすぎていきました。ヨアネスが眠《ねむ》っているあいだに、旅の道連《みちづ》れはお姫《ひめ》さまのあとについて山まで飛《と》んでいき、そのあいだ、前よりももっと強くお姫《ひめ》さまを大枝《おおえだ》で打ちました。今度は大枝《おおえだ》を二本持ってきたからです。旅の道《みち》連《づ》れはだれにも見つからずに、すべてを聞きました。お姫《ひめ》さまは手袋《てぶくろ》のことを考えることになったので、旅の道連《みちづ》れはこのことを夢《ゆめ》に見たと言ってヨアネスに話しました。

そんなわけで、ヨアネスはまた正しい答えを言うことができたので、お城《しろ》の人たちは大喜《おおよろこ》びしました。家来たち全員が、一度めに王さまがしたように宙返《ちゅうがえ》りをしたくらいです。でも、お姫《ひめ》さまはソファに横たわり、ひと言も口にしませんでした。

さて、いよいよ、ヨアネスが三度めも正しく答えられるかどうかということになりました。もしうまくいけば、ヨアネスは美しいお姫《ひめ》さまと結婚《けっこん》できて、王さまが亡《な》くなったら国中が自分のものになります。でも、しくじったら命を落とすことになり、美しく青い目を魔法使《まほうつか》いに食べられてしまうのです。

三度めの挑戦《ちょうせん》の前の晩《ばん》、ヨアネスは早めにベッドに入り、お祈《いの》りを捧《ささ》げると、すやすやと眠《ねむ》ってしまいました。いっぽう、旅の道連《みちづ》れは背中《せなか》に翼《つばさ》を結《ゆ》わえつけ、剣《けん》を腰《こし》にさして、大枝《おおえだ》を三本とも持つと、お城《しろ》に向かって飛《と》んでいきました。

真っ暗な夜でした。風があまりに強かったので、屋根のかわらが吹《ふ》き飛《と》ばされ、骸《がい》骨《こつ》のぶら下がっている庭の木々は、嵐《あらし》になびくアシの茎《くき》のように揺《ゆ》れています。稲妻《いなずま》はのべつまくなしに走り、雷《かみなり》はまるでひとつづきの鐘《かね》のように鳴りつづけてやみません。

と、窓《まど》が勢《いきお》いよく開き、お姫《ひめ》さまが飛《と》び出《だ》してきました。死んだ人のように真っ青な顔をしていましたが、ひどい嵐《あらし》に向かって高笑《たかわら》いをすると、なんのこれしきと言いはなちました。お姫《ひめ》さまの白いマントは風を受けて船の帆《ほ》さながらにはためいています。旅の道連《みちづ》れは三本の大枝《おおえだ》でお姫《ひめ》さまをビシビシと打《う》ち据《す》えたので、お姫《ひめ》さまは血が地面にしたたり落ち、もう飛《と》べなくなりそうなほどでした。それでも、なんとか山に着きました。

「なんてひどいあられに、ひどい嵐《あらし》だこと!」お姫《ひめ》さまは言いました。「こんなお天気のなか出かけるのは、初《はじ》めてよ」

「まあ、いいことばかりはないものさ」魔法使《まほうつか》いが言いました。

そのあと、お姫《ひめ》さまはヨアネスが二度めも正しく答えたことを話しました。明日の朝もそうだったら、ヨアネスの勝ちとなるので、自分は二度と山へ来られないし、もう魔法《まほう》を練習できなくなるから、とても悲しいと。

「次こそ、当てられてなるものか」と魔法使《まほうつか》いは言いました。「絶対《ぜったい》に当てられないものを考えてやろう。それでもだめだったら、そいつはわしよりも偉《えら》い魔法使《まほうつか》いだってことだ。だが、いまのところは楽しくすごそうじゃないか」そして、魔法使《まほうつか》いはお姫《ひめ》さまの両手をとり、その場にいるゴブリンや鬼火《おにび》たちといっしょに踊《おど》ってまわりました。

赤いクモたちも楽しそうに壁《かべ》のところで飛《と》び上《あ》がったり飛《と》び下《お》りたりしています。それはまるで燃《も》える花たちが火花をまき散《ち》らしているようでした。フクロウが太鼓《たいこ》をたたき、コオロギが笛を、黒いキリギリスがハーモニカを吹《ふ》きます。なんてにぎやかな舞踏会《ぶとうかい》なのでしょう。

みんながたっぷり踊《おど》ったころ、お姫《ひめ》さまが家へ帰らなければならない時間になりました。帰らないと、お姫《ひめ》さまがいないことにお城《しろ》の人たちが気づいてしまうかもしれません。魔法使《まほうつか》いはお城《しろ》まで送ってあげようとお姫《ひめ》さまに言いました。そうすれば、

お城《しろ》に着くまでいっしょにいられますからね。
こうして、お姫《ひめ》さまと魔《ま》法使《ほうつか》いは嵐《あらし》のなかを飛《と》んでいき、旅の道連《みちづ》れは大枝《おおえだ》三本とも折《お》れてしまったくらいふたりの背中《せなか》を思いきり打ちました。魔《ま》法使《ほうつか》いですら、こんなあられの嵐《あらし》にあうのは初《はじ》めてです。お城《しろ》の外でお姫《ひめ》さまに別《わか》れの挨拶《あいさつ》をした魔《ま》法使《ほうつか》いは、つづけてこうささやきました。「わしの頭のことを考えておれ」けれど、旅の道連《みちづ》れにはちゃんとそれが聞こえたのです。そして、お姫《ひめ》さまが寝室《しんしつ》の窓《まど》から部屋にそっと入り、魔《ま》法使《ほうつか》いが引き返そうとしたそのとき、旅の道連《みちづ》れは魔《ま》法使《ほうつか》いの長いあごひげをつかみ、その醜《みにく》い頭を剣《けん》で切り落としてしまったので、魔《ま》法《ほう》使《つか》いは旅の道連《みちづ》れを見る暇《ひま》さえありませんでした。旅の道連《みちづ》れは魔《ま》法使《ほうつか》いの体を海の魚たちの餌《えさ》にくれてやると、頭のほうを水に浸《ひた》してから、絹《きぬ》のハンカチでくるんで宿屋に持ち帰り、眠《ねむ》りにつきました。

あくる朝、旅の道連《みちづ》れはヨアネスにハンカチの包《つつ》みを渡《わた》し、お姫《ひめ》さまからわたしは何のことを考えているでしょうと尋《たず》ねられるまで、この包《つつ》みを開けないようにと言いました。

お城《しろ》の大広間にはたくさんの人たちが集まっていて、まるで束《たば》にしたラディッシュのようにぎゅうぎゅうです。大臣《だいじん》たちは柔《やわ》らかいクッションの置《お》かれた椅子《いす》に座《すわ》っており、年よりの王さまは新しい服を着ていました。金の冠《かんむり》と王さまの杖《つえ》はピカピカに磨《みが》かれ、たいそう立派《りっぱ》に見えます。けれど、お姫《ひめ》さまは真っ青な顔をして、真っ黒なドレス姿《すがた》でしたから、まるでお葬式《そうしき》に行くみたいでした。

「わたしは何のことを考えているでしょうか?」お姫《ひめ》さまがヨアネスに尋《たず》ねました。そこで、ヨアネスはさっとハンカチの包《つつ》みを開けたのですが、まず自分がびっくり仰天《ぎょうてん》してしまいました。なんと、恐《おそ》ろしい魔《ま》法使《ほうつか》いの頭が入っていたのです。その場にいたみんなも身震《みぶる》いしました。見るも恐《おそ》ろしい眺《なが》めだったからです。お姫《ひめ》さまは石の像《ぞう》のように座《すわ》ったまま、何ひとつ口にできないでいましたが、ようやく立ち上がると、ヨアネスに片手《かたて》をさし出しました。だって、ヨアネスの答えは正しかったのですからね。

お姫《ひめ》さまはだれのことも見ず、ただ深々とため息をついて言いました。「これで、あなたはわたしの夫《おっと》です! 今夜、結婚式《けっこんしき》をあげましょう」

「めでたい!」年とった王さまが言いました。「では、そうしようではないか!」だれもが「万歳《ばんざい》!」と叫《さけ》びました。兵隊《へいたい》たちの楽団《がくだん》が通りで音楽を演奏《えんそう》し、鐘《かね》という鐘《かね》が鳴り、お菓子屋《かしや》のおかみさんたちは砂糖《さとう》細工の人形から悲しみの黒い布《ぬの》をはずしました。いまや町中が喜《よろこ》びにあふれんばかりです。

三頭の牡牛《おうし》が、アヒルやニワトリの肉をおなかにつめてから丸焼《まるや》きにされ、市場のまんなかに置《お》かれました。だれでもひと切れ自由に切り取っていいのです。噴水《ふんすい》には上等なブドウ酒が流れ、パン屋で一ペニーのパンを買った人には、プレゼントとして小さな丸パン六個《こ》がふるまわれました。それも、干《ほ》しブドウ入りの丸パンです。

夕方になると、町中に明かりがともされました。兵隊《へいたい》たちは大砲《たいほう》を撃《う》ち、男の子たちは爆竹《ばくちく》を鳴らしました。お城《しろ》のみんなは、食べたり、飲んだり、乾杯《かんぱい》したり、踊《おど》ったりしています。身分の高い紳士《しんし》と美しいご婦人《ふじん》たちが手を取り合って踊《おど》り、こんな歌が遠くまで聞こえました。

　さあさ、なみいる娘《むすめ》さん、踊《おど》りはきらいじゃあるまいね！
　チャンスとあらば、足取り軽く、くるくるくるりとまわってみせる。
　踊《おど》ろうよ、かわいい娘《むすめ》さん、いつまでも、靴底《くつぞこ》はがれて取れるまで。

けれど、お姫《ひめ》さまはまだ魔女《まじょ》のままで、ヨアネスのことを少しも好《す》きになれませんでした。旅の道連《みちづ》れはそのこともちゃんとわかっていましたよ。だから、ヨアネスに白鳥の翼《つばさ》からとった羽根を三枚《まい》と、薬が何てきか入っている小びんを渡《わた》して、こう言いました。花嫁《はなよめ》と寝《ね》るベッドのそばに水を入れた大きなたらいを置《お》いておきなさい。そして、お姫《ひめ》さまがベッドに入ろうとしたときに、ちょっと押《お》して、そのたらいの中に落とすのだよ。たらいには、白鳥の羽根と薬を入れておいて、お姫《ひめ》さまを三度その中に沈《しず》めれば、お姫《ひめ》さまは魔法《まほう》が解《と》けて、ヨアネスのことを心から愛《あい》するようになるからね、と。

ヨアネスは旅の道連《みちづ》れから言われたとおりにしました。お姫《ひめ》さまはヨアネスに水の中へ沈《しず》められているあいだじゅう大声で叫《さけ》び、火のように燃《も》える目をした大きな真っ黒い鳥の姿《すがた》になって、ヨアネスの手の下でもがきました。ところが、二度めに水から顔を出したとき、その鳥は白くなっていました。首のまわりに一本の黒い輪《わ》が残《のこ》っているだけです。

ヨアネスはひたすら神さまにお祈《いの》りをしながら、その鳥をもう一度、水に沈《しず》めました。すると、そのとたん、白鳥はもとの美しいお姫《ひめ》さまの姿《すがた》になったのです。お姫《ひめ》さまはこれまでよりもいちだんと美しく、愛《あい》らしい目に涙《なみだ》を浮《う》かべて、かけられていた魔法《まほう》を解《と》いてくれたことをヨアネスに感謝《かんしゃ》したのでした。

あくる朝、お年よりの王さまが家来を残《のこ》らず連《つ》れてやってきました。そして、その日の遅《おそ》くまで、みんなからの結婚《けっこん》のお祝《いわ》いの言葉がつづきました。その最後《さいご》のひとりは、旅の道連《みちづ》れでした。片手《かたて》に杖《つえ》を持ち、背負《せお》い袋《ぶくろ》をしょっています。ヨアネスは旅の道連《みちづ》れに何度も口づけをして、行かないでくださいと頼《たの》みました。ぼくが幸せになれたのはあなたのおかげなのだから、ずっとそばにいてほしいと。

けれど、旅の道連《みちづ》れは首を横に振《ふ》って、おだやかに、やさしく言いました。「いやいや、わたしにはもう時間がないんだ。わたしはおまえさんに借《か》りを返しただけだよ。悪党《あくとう》どもにひどい目にあわされるところだった、死んだ男のことを覚《おぼ》えているかい？おまえさんはその男が墓《はか》のなかで安らかに眠《ねむ》れるようにと全財産《ぜんざいさん》を渡《わた》してくれただろう。わたしはあの男なんだよ」

次の瞬間《しゅんかん》、男は消えていました。

結婚《けっこん》の宴《うたげ》はまる一か月もつづきました。ヨアネスとお姫《ひめ》さまは心から愛《あい》し合い、お年よりの王さまは長らく楽しい日々をすごして、ふたりのあいだに生まれた子どもたちを膝《ひざ》に乗せてやったり、王さまの杖《つえ》で遊ばせてやったりもしました。そのあと、ヨアネスは国中を治《おさ》める王さまになったのでした。

お話の旅路《たびじ》、人生の旅路《たびじ》

ニッセ：グリム兄弟といえば、弟のヴィルヘルムさんは早くからアンデルセンさんの才能《さいのう》に注目してたんだって。

ノール：ヴィルヘルムさんは学者というより作家っぽかったからな。「親を早くに亡《な》くした苦労人《くろうにん》」という共通点《きょうつうてん》もあったし。

ニッセ：アンデルセンさんのほうがどん底《ぞこ》だったよ。生まれ故《こ》郷《きょう》のフュン島オーゼンセは地味な田舎町《いなかまち》で、お母さんは小さいころに親のいいつけで乞食《こじき》をさせられていたみたい。そのつらい思い出話から生まれたのが「マッチ売りの少女」なんだって。

ノール：アンデルセンさん自身も、お父さんに死なれてからは作家になるまでが本当にいばらの道でね。前半生はお金の苦労《くろう》、後半生は失恋《しつれん》の悲しみで、死ぬまでずっと独身《どくしん》だった。

ニッセ：そうした人生の歩みと小さいころに聞いた民話《みんわ》が結《むす》びつき、美しいデンマークの自然《しぜん》に洗《あら》われて独自《どくじ》の世界観《せかいかん》になったんだね。

ノール：あと、アンデルセンさんは大旅行家で、物語のふるさとをずいぶん見て回ってる。異国《いこく》の風景《ふうけい》にも実体験《じったいけん》をかなり入れてて、世界観《せかいかん》の土台でもあるんだよ。くわしい話は次の本でまたね。

雪だるま

「ぞくぞくするほどうれしい寒さだなあ。ぼくの体がキシキシ鳴ってる」と雪だるまが言いました。「風もなんてさわやかなんだろう。だけど、上のほうで光ってるやつは、ずいぶんぼくのことをにらみつけてくるなあ！」それはお日さまのことで、お日さまはちょうど沈《しず》もうとしていたのです。「にらまれても、まばたきなんかしないぞ。このかけらがしっかりついてるんだから」そうなんです、この雪だるまの顔の目のところには、三角の大きな赤いタイルがふたつ、ついていたのです。口は古い熊手《くまで》だったので、歯もありました。この雪だるまは、男の子たちの歓声《かんせい》に包《つつ》まれて生まれ、ソリの鈴《すず》のリンリンという音や、鞭《むち》の鳴る音に迎《むか》えられたのでした。

お日さまが沈《しず》んで、大きな満月《まんげつ》がのぼってきました。青い空に、くっきりと浮《う》かんでいます。「反対側《はんたいがわ》からまた出てきたぞ！」と雪だるまは言いました。そう、お日さまがまた出てきたと思ったんですよ。「だけど、ぼくをにらまなくさせてやれたみたいだな。まあ、そこにぶら下がって、ぼくを照《て》らしてれば、いいや。そうすりゃ、ぼくは自分の姿《すがた》が見えるからね。それにしても、どうしたら動けるのか、知りたいなあ。歩きまわりたくて、たまらないよ。動けたら、あっちへ行って、あそこの氷の上を滑《すべ》ってみたいんだ。ほら、あの男の子たちがやってるみたいにさ。でも、どうやったらいいのか、わからなくて。歩けもしないんだから」

「オン！　オン！」と庭の年寄《としよ》り犬が吠《ほ》えました。少ししゃがれた声でしたが、もうちゃんと「ワン！　ワン！」と吠《ほ》えることができません。家のなかですごし、暖《あたた》かいストーブのそばに一日中寝《ね》そべっていることに慣《な》れていたので、庭に出されてから声がしゃがれてしまったのです。「いまにお日さまがあんたに走り方を教えてくれるさ。去年、あんたの先輩《せんぱい》も教わってたし、その前の先輩《せんぱい》たちもそうだったのを、わしは見てたんだ。オン！　オン！　みんな、おん出てったよ」

「きみが何を言ってるのか、さっぱりわからないな」と雪だるまは言いました。「上にいるあいつが、ぼくに歩き方を教えてくれるだって？」雪だるまが言っているのは、お月さまのことです。「そりゃあ、ちょっと前にぼくが顔をじっと見てやったら、あいつは歩いていっちゃって、今度は反対側《はんたいがわ》からそっと出てきたけどさ」

「あんたはなんにも知らないんだなあ」犬が答えました。「まあ、それも仕方ないね。

ついさっき作られたばっかりなんだから。あの上に見えてるのは、お月さまだよ。ちょっと前に行ってしまったのは、お日さまなんだ。お日さまは明日また戻《もど》ってきて、あんたに溝《みぞ》のなかへ入っていくやり方を、ちゃんと教えてくれるさ。そろそろ天気が変《か》わりそうだからな。左の後ろ足が痛《いた》むんで、そうとわかるんだよ。天気が変《か》わるぞってね」

「何のことなのか、よくわからないや」と雪だるまは言いました。「でも、あんまり楽しくないことを言ってるような気がするなあ。ぼくのことをじっとにらんでて、そのあといなくなっちゃったやつ、お日さまとかって言ってたけど、あれはぼくの友だちじゃないな。それだけは正しいって感じるんだ」

「オン！　オン！」と犬は吠《ほ》え、三回まわると、自分の小屋へ入って眠《ねむ》ってしまいました。

やがて、本当にお天気が変《か》わりました。次の朝、あたりいちめんが深い霧《きり》に包《つつ》まれたのです。そのあと、冷《つめ》たい風が吹《ふ》きはじめました。凍《こご》えるような寒さです。けれど、お日さまがのぼると、まあ、なんというまぶしさでしょう！　木々や茂《しげ》みが白い霧《きり》におおわれて、まるで白いサンゴの林のようです。枝《えだ》という枝《えだ》に、ピカピカ光る白い花がびっしり咲《さ》いているようでした。たくさんの細い枝《えだ》が、夏のあいだは青葉が茂《しげ》ってすっかり隠《かく》れていたのですが、いまはどれもすっかり見えていて、雪のように白いクモの巣《す》そっくりです。どの枝《えだ》も、きらきらと白い光を放っていました。カバノキが、夏にだってするのですが、風に吹《ふ》かれて枝《えだ》を揺《ゆ》らす姿《すがた》は、息をのむほど美しいものでした。

そこにお日さまがのぼると、あらゆるものが光に満《み》ちてきらめき、小さなダイヤモンドがそこらじゅうにまきちらされたかのようでした。地面に積《つ》もった雪には、大きなダイヤモンドが光っているように見えます。別《べつ》の言い方をすれば、雪よりももっと白い、数えきれないほどの光がきらきらしているように見えるのです。

「なんてきれいなのかしら!」と言いながら、娘《むすめ》さんが若者《わかもの》といっしょに庭へ出てきました。ふたりは雪だるまのそばで足を止めると、きらめく木々をうっとりと眺《なが》めました。「夏には、こんなに美しい景色《けしき》は見られないわね」そう言う娘《むすめ》さんの目は、輝《かがや》いていました。「ここにいるこいつだって、夏には見られないでしょうね」青年がそう答えて、雪だるまを指さしました。

娘《むすめ》さんは声に出して笑《わら》うと、雪だるまにうなずいてみせました。それから、ふたりが雪の上を歩いていくと、足の下で雪が片栗粉《かたくりこ》のようにキシキシ鳴りました。

「あのふたりは、だれ?」雪だるまは犬に尋《たず》ねました。「きみのほうがこの庭に長くいるんだから、知ってるよね？」

「そりゃあ、知ってるとも」犬が答えました。「娘《むすめ》さんのほうはわしをなでてくれるし、若者《わかもの》のほうはわしに肉の骨《ほね》をくれるんだよ。だから、あのふたりには絶対《ぜったい》にかみつかないのさ」

「だけど、どういう人たちなの？」雪だるまはまた尋《たず》ねました。

「恋人同士《こいびとどうし》さ」と犬が答えました。「これから一軒《けん》の犬小屋でいっしょに暮《く》らして、いっしょに骨《ほね》をかじるんだろうよ。オン！　オン！」

「ぼくときみみたいなものかな？」雪だるまは聞きました。

「ご主人さまの家族なんだよ」と犬は答えました。「そりゃまあ、きのう生まれたばっかりじゃ、ろくにものも知らないだろうが。あんたを見りゃ、よくわかるよ！　わしは年をとってるし、知識《ちしき》だってある。この家のことなら、なんでも知ってるからね。こんな寒いところにつながれてないころのことだって、知ってるんだ。オン！　オン！」

「寒いのはすてきじゃないか」と雪だるまは言いました。「ねえ、もっと話してよ。だけど、そのくさりをあんまりガチャガチャ鳴らさないでほしいな。その音を聞くと、身震《みぶる》いしちゃうんだ」

「オン！　オン！」と犬が吠《ほ》えました。「昔は、かわいい子犬だったそうだよ。そのころはお屋敷《やしき》のなかにいて、ベルベット張《ば》りの椅子《いす》の上で寝《ね》たり、ご主人さまの膝《ひざ》に座《すわ》ったりしてたんだ。鼻の頭にキスしてもらったり、刺繍《ししゅう》をしたハンカチで足をふいてもらったりもしたよ。そして、「かわいこちゃん、おちびちゃん、ちっちゃなかわいこちゃん」なんて呼《よ》ばれてたんだ。でも、そのあと、わしはご主人さまたちにとっては大きくなりすぎてしまってな。管理人《かんりにん》にもらわれて、地下室へ連《つ》れていかれたんだ。ほら、あんたが立ってるところにある窓《まど》から、のぞけるだろ。わしが一日だけご主人さまだった部屋のなかが見えるよ。そう、わしは管理人《かんりにん》のところじゃ、ご主人さまだったのさ。部屋は上にいたときほど広くなかったけど、居心地《いごこち》はずっと良《よ》くてね。しょっちゅう子どもたちに叩《たた》かれたり引《ひ》っ張《ぱ》られたりしなくてすんだし、食べ物だって、良《よ》くなったわけじゃないけど、同じくらいうまかったし。自分のクッションもあったんだよ。部屋にはストーブがあってね、一年のいまぐらいの季節《きせつ》には、世界一いいもんなんだ。よくその下にもぐりこんだもんだよ。ちょうどわしが入れるすきまがあってな。いまだに、そのストーブの夢《ゆめ》を見るよ。オン！　オン！」

「ストーブって、かっこいいの？」雪だるまは聞きました。「ぼくに似《に》てる？」

「あんたとはまったく正反対だよ！　カラスみたいに真っ黒で、首が長くて、幅《はば》の

広い真鍮《しんちゅう》が胴体《どうたい》に巻《ま》きつけてあるんだ。燃料《ねんりょう》をいっぱい食うもんだから、口から火を吹《ふ》いててさ。だから、そのすぐ横にいるか、その下にいるといいよ。そこなら、すごく気持ちいいから！　あんたのいるところから、見えるんじゃないかね」

雪だるまがのぞいてみると、ぴかぴかに磨《みが》かれて、幅《はば》の広い真鍮《しんちゅう》を胴体《どうたい》に巻《ま》きつけたものがありました。下のほうには火が見えます。雪だるまはなんだか妙《みょう》な気持ちになりました。それが何なのか、さっぱりわかりませんし、その理由も説明《せつめい》できません。人間なら、いえ、雪だるまじゃなければどんな生き物にだって、わかっていることですけれどね。

「どうしてその女の人のところから出てきちゃったの？」雪だるまは尋《たず》ねました。てっきり、ストーブは女性《じょせい》だと思ったのです。「そんないいところから出るなんて、どうして？」

「無理《むり》やりそうさせられたのさ」犬が答えました。「家から追い出されて、くさりでここにつながれちまったんだ。ご主人さまの一番下の坊《ぼっ》ちゃんの脚《あし》にかみついたせいさ。だってな、その子はわしがかじってた骨《ほね》を蹴飛《けと》ばしたんだ。骨《ほね》をやられたら、骨《ほね》にやり返すってこったよ。なのに、わしはみんなからひどい悪者扱《あつか》いされて、そのときからずっと、くさりにつながれてるんだ。おまけに、声もだめになっちまった。どんなにしゃがれてるか、聞いただろ？　オン！　オン！　もうほかの犬みたいに吠《ほ》えることができないんだよ。オン！　オン！　そんなわけさ」

雪だるまはもう犬の話を聞いていませんでした。地下室の管理人《かんりにん》の部屋をじっと見つめていました。そこには、ストーブが四本足で立っていました。雪だるまと同じくらいの背丈《せたけ》です。

「体のなかから、ずいぶん変《へん》な音がするなあ」雪だるまは言いました。「あそこには入れないのかな。ぼくの清《きよ》らかな願《ねが》いなんだよ。それに、清《きよ》らかな願《ねが》いは必《かなら》ずかなうっていうじゃないか。ぼく、どうしてもあそこへ入っていって、あの女の人に寄《よ》り添《そ》いたいんだ。たとえ、窓《まど》を割《わ》らなくちゃならなくても」

「あんたは絶対《ぜったい》にあそこへ入ってはいけないよ」と犬が言いました。「もしストーブのそばへ行ったりしたら、あんたは死んじゃうぞ。オン！　オン！」

「ぼくはもう死んじゃったようなもんだよ」雪だるまは答えました。「だって、気が遠くなりそうだもん」

雪だるまは一日中ずっと窓《まど》のなかをのぞいていました。夕暮《ゆうぐ》れになると、ますますその部屋にそそられました。ストーブから洩《も》れる柔《やわ》らかな光は、お月さまやお日さまの光とは違《ちが》っています。それは、燃料《ねんりょう》をいっぱいもらったストーブだけが放つことのできる光でした。部屋の扉《とびら》が開くと、ストーブの口から炎《ほのお》がぱっと吹《ふ》き出《だ》すのですが、ストーブとはそういうものだからです。その炎《ほのお》は、雪だるまの白い顔や胸《むね》をあかあかと照《て》らしました。

「ぼく、もう我慢《がまん》できないや」雪だるまは言いました。「あんなふうに舌《した》を出すところは、あの女の人によく似合《にあ》うなあ！」

その夜は長かったのですが、雪だるまはそんなふうに感じませんでした。その場に立ったまま、楽しい考えにふけっていたからです。凍《こご》えるように寒かったので、雪だるまの体はキシキシ鳴りました。

朝になると、地下室の窓《まど》ガラスには氷が張《は》りつめていました。これ以上《いじょう》はないほど美しい氷の花が、いちめんに咲《さ》いています。でも、そのせいでストーブが隠《かく》れてしまったのです。

窓《まど》ガラスの氷は溶《と》けそうにありません。雪だるまはストーブが見えなくなってしまいましたが、きっとストーブはとても美しい女の人なのだろうと思《おも》い描《えが》いていました。体のなかがキシキシ、ギシギシ鳴ります。雪だるまにとっては、それこそうれしい寒さです。でも、喜《よろこ》んではいませんでした。ストーブに会いたくてたまらないのに会えないのだから、どうして幸せな気持ちになれるでしょう？

「雪だるまにとっては、恐《おそ》ろしい病気だな」と犬が言いました。「わしも昔はその病気に苦しんだものだが、もう乗《の》り越《こ》えたよ。オン！　オン！　まもなく天気が変《か》わりそうだぞ」

そのとおり、天気が変《か》わりました。雪が解《と》けてきたのです。暖《あたた》かくなるにつれて、雪だるまは解《と》けていきました。もう何も話しません。不平《ふへい》も言いません。それほど確《たし》かな証拠《しょうこ》はないでしょう。

ある朝、雪だるまはくずれてしまいました。おやおや、なんとまあ！　雪だるまが立っていた地面に、ほうきの柄《え》のようなものが刺《さ》さっているではありませんか。男の子たちはそのまわりに雪をつけて、雪だるまを作ったのでした。

「なるほど、これでわかったよ。雪だるまがあれほどストーブにあこがれたわけが」と犬が言いました。「あの柄《え》には、鉄でできたヘラがついてる。ストーブの掃除《そうじ》に使う道具だよ。雪だるまのなかにはストーブの火かき棒《ぼう》が入ってたから、それが雪だるまの気持ちを動かしたんだな。まあ、それももう終わりだ。オン！　オン！　オン！」

まもなく、冬が終わりました。「オン！　オン！」犬がしゃがれ声で吠《ほ》えます。でも、家のなかでは、女の子たちが歌っていました。

ああ、クルマバソウよ、出ておいで。元気にすっくと、いちめんに。
さあ、ヤナギさんも、ふんわりとした花の穂《ほ》をおつけなさい。
ほら、カッコウさんも、ヒバリさんも、楽しく歌ってちょうだいな。
だって、二月は終わり、もうはるなのよ。

カッコー、カッコー！　わたしもいっしょに歌ってる。
キラキラお日さま、出てきてね。青いお空にお顔を見せて。

そして、だれも雪だるまのことを考えませんでした。

最後《さいご》の真珠《しんじゅ》

お金にも幸福にも恵《めぐ》まれた家がありました。家の中のみんなが――主人や召使《めしつか》いたちや友人たちが――喜《よろこ》びにわいています。まさにその日に跡取《あとと》り息子《むすこ》が生まれ、母子ともに無事《ぶじ》だからです。

小ぎれいな寝室《しんしつ》のランプは明るさを半分に落とし、窓《まど》という窓《まど》は高価《こうか》な絹織《きぬお》りの厚《あつ》地《じ》カーテンで厳重《げんじゅう》に閉《し》め切《き》られています。厚《あつ》い絨毯《じゅうたん》は苔《こけ》のようにふかふかです。室内のすべてが人を休息と眠《ねむ》りに誘《さそ》い、快適《かいてき》な憩《いこ》いをもたらす場です。乳母《うば》もつい誘《さそ》われて眠《ねむ》ってしまい、祝福《しゅくふく》された結構《けっこう》ずくめのこの場所で心おきなく熟寝《うまい》に浸《ひた》っていました。

ベッドの枕辺《まくらべ》には家の守護霊《しゅごれい》が立ち、母の胸《むね》に抱《だ》かれた赤子の頭から足先まで、光る無数《むすう》の星、大きな豊《ゆた》かさをもたらす星を編《あ》んだ網状《あみじょう》のものをすっぽりと広げてかぶせました。星はどれも「幸福の真珠《しんじゅ》」で、人生を司《つかさど》る善《よ》い妖精《ようせい》たちが新しく生まれた子に一粒《つぶ》ずつ持《も》ち寄《よ》った贈《おく》り物《もの》です。この網《あみ》には健康《けんこう》、富《とみ》、幸福、愛《あい》——世の人間が望《のぞ》みそうな、ありとあらゆるものがきらめいていました。

「ありとあらゆるものをここに集めて授《さず》け終《お》わりましたね」と、家の守護霊《しゅごれい》が言いました。

「いいえ」すぐそばで声が上がりました。声の主は、生まれた子の守護《しゅご》天使です。「ひとりだけ、まだ贈《おく》り物《もの》を持ってこない妖精《ようせい》がいます。ですが必《かなら》ずくるでしょう。何年かかろうと、いつかは必《かなら》ず。ですから、この網《あみ》には最後《さいご》の真珠《しんじゅ》が欠《か》けていますね」

「欠《か》け！　この家にあるまじきことです！　本当に欠《か》けがあるのでしたら、ごいっしょにその強い妖精《ようせい》を探《さが》しに行きませんか。こちらからもらいに行きましょう！」

「きますよ。いつかは！　人生という花輪《はなわ》を編《あ》むにあたって欠《か》かせない真珠《しんじゅ》ですから」

「その妖精《ようせい》の住まいはどこです？　居場所《いばしょ》は？　ぜひ教えてください、わたしがその真珠《しんじゅ》をもらいに行ってきます！」

「そうまでおっしゃるなら」守護《しゅご》天使は折《お》れました。「わたしがご案内《あんない》しましょう、彼女《かのじょ》本人か、あるいは行く予定の場所へ。どこといって決まった居場所《いばしょ》はないんです。皇帝《こうてい》の宮殿《きゅうでん》にいたかと思うと、お次はどん底《ぞこ》の貧農《ひんのう》のあばら家にあらわれる。この妖《よう》精《せい》に会わずにやりすごす人間はいません。だれにでも贈《おく》り物《もの》をしますし、その中身は全世界だったり、おもちゃ一個《こ》だったりします。この子のもとへもくるはずですよ。ともあれ、時の長さは同じなのに、彼女《かのじょ》を待つ時間はもったいないとお考えなんですね。じゃあいいでしょう、ごいっしょに真珠《しんじゅ》を取りに行きましょう。これだけふんだんな贈《おく》り物《もの》の最後《さいご》を飾《かざ》る真珠《しんじゅ》を」

そんなわけで二体の霊体《れいたい》は手をつないで、その日その時に妖精《ようせい》が居《い》ついた場所へ飛《と》びました。

行き先は大きな屋敷《やしき》で、暗い廊下《ろうか》とがらんどうの部屋がいくつもあり、なにもかもが妙《みょう》に静《しず》かでした。ずらりと並《なら》んだ窓《まど》は冷《ひ》えこむ外気が入るようにすべて開け放たれ、長く白いカーテンが風にはためいています。

中央の床《ゆか》には、ふたをする前の棺《ひつぎ》が安置《あんち》されていました。中に納《おさ》まっているのは、まだうら若《わか》い女です。お棺《かん》の中は切りたての最高《さいこう》にきれいなバラの花で埋《う》め尽《つ》くされ、細い指を組んだ女の手と、神のみもとに参《まい》る魂《たましい》の高貴《こうき》な威厳《いげん》をまとい、死が美しく変《か》えた気高い顔だけがかろうじて見えました。

棺《ひつぎ》につきそうのは夫《おっと》と子供《こども》たちで、一家全員そろっています。末《すえ》っ子《こ》は父の腕《うで》に抱《だ》かれていました。みんなで最後《さいご》のお別《わか》れをすませ、夫《おっと》が亡妻《ぼうさい》の手にキスしました。生前はかいがいしく愛情《あいじょう》こめてみんなの世話をしたこの手も、今は枯《か》れしおれた葉のようです。大粒《おおつぶ》の涙《なみだ》がぼたりと床《ゆか》に落ちましたが、言葉はありません。悲しみの世界を物語る沈黙《ちんもく》です。そして沈黙《ちんもく》と嗚咽《おえつ》とともに一同退室《たいしつ》しました。

その部屋のロウソクは一本きりで、炎《ほのお》が風にあおられて消えそうになるたびに、長い赤い舌《した》をひらめかせました。よその男たちがやってきて、棺《ひつぎ》に蓋《ふた》をのせて釘《くぎ》づけしました。金づちの音が家じゅうの部屋から廊下《ろうか》のすみずみにまで強く鳴りわたり、傷《きず》ついて血を流す遺族の心にまでこだまするようでした。

「わたしをどこへ連《つ》れていくおつもりですか?」守護霊《しゅごれい》が尋《たず》ねました。「真珠《しんじゅ》という人生最良《さいりょう》の贈《おく》り物《もの》をもたらす妖精《ようせい》が、こんなところに居《い》つくわけがないでしょう」

「まさにこの場所に住んでいますよ。今、この神聖《しんせい》な時にね」守護《しゅご》天使はそう言うと、部屋の片隅《かたすみ》を指さしました。

そこは在《あ》りし日の母親が四方の花や絵を見ながら腰《こし》をおろしていた定席《じょうせき》で、母親その人が家の守護霊《しゅごれい》として夫《おっと》や子らや友人たちを愛情《あいじょう》こめて迎《むか》えた場所であり、陽光さながら家を照《て》らし、幸福や愛《あい》や家庭円満《えんまん》をくまなく広げて一家の中枢《ちゅうすう》をつとめた場所でしたが、今のその席《せき》に座《すわ》っているのは長い衣《ころも》の見知らぬ女でした。それこそは「悲しみ」、亡《な》き母になりかわって今のこの家を支配《しはい》しています。熱《あつ》い涙《なみだ》のしずくが頬《ほお》をつたってひざにこぼれると、涙《なみだ》は真珠《しんじゅ》となって美しい虹色《にじいろ》の光を放ち、守護《しゅご》天使が手にすると、星の七倍も明るく輝《かがや》きました。

「悲しみの真珠《しんじゅ》こそ、人生に決して欠《か》かせない最後《さいご》の真珠《しんじゅ》ですよ！　この真珠《しんじゅ》はほかの贈《おく》り物《もの》のまばゆい光をことごとく強めてくれるのです。この虹色《にじいろ》の照《て》り返《かえ》しをとくとごらんなさい、この虹《にじ》こそが地上と天国そのものを直結《ちょっけつ》させる架《か》け橋《はし》なのです！　死によって、家族や愛《あい》する伴侶《はんりょ》や子らがひとりずつ奪《うば》われるたびに、天国に仲間《なかま》がひとりずつ増《ふ》え、天国での再会《さいかい》がそれだけ楽しみになります。そうして夜ごと、星々を超《こ》えた先の「万物《ばんぶつ》の果《は》ての国」を見上げるようになります。そこに思いを致《いた》しながら悲しみの真珠《しんじゅ》に見入れば、真珠《しんじゅ》に秘《ひ》められた魂《たましい》の翼《つばさ》を見つけだして、地上からいと高き世界へと、思いのままに飛んでいけるようになるのです」

太陽を求《もと》め続《つづ》けて　訳者《やくしゃ》あとがき

意外ですが、猫《ねこ》たちが言うほどデンマークは寒くありません。首都コペンハーゲンは最低《さいてい》気温マイナス一度前後、最高《さいこう》気温はせいぜい二十度台前半で、酷暑《こくしょ》の日本からすればうらやましいほどです。ただし、どんよりしたお天気が年の半ば以上《いじょう》を占《し》め、冬は見渡《みわた》す限《かぎ》りの雪景色《ゆきげしき》と長い長い夜に閉《と》ざされます。かわりに夏はいつまでも日が沈《しず》まず、野山も庭も緑や花があふれて冬の時とは別世界《べっせかい》です。二巻《かん》仕立てにしたのはその対比《たいひ》を感じていただきたかったからですが、それでもやはり雨がちで、お日さまはなかなか顔を出してくれません。

人間は太陽が足りないと鬱《うつ》になりやすいのだとか。デンマークの人たちが南の国にあこがれるのはそのせいでしょうか。この本の作者アンデルセンも大昔の大詩人や作家を生んだギリシアやイタリアなどをずいぶん熱心《ねっしん》に見て回っています。「親指《おやゆび》っ子ちゃん」の最後《さいご》あたりは旅行で見たままを文章にしたのでしょう。

そういえば、アンデルセンの人生もデンマークの気候《きこう》と似《に》ています。花咲《はなさ》く後半生とはうらはらに、前半生は太陽を待ちこがれた冬の日々のようでした。祖父《そふ》の代から娘《むすめ》に乞食《こじき》をさせるほどの貧乏暮《びんぼうぐ》らしでしたが、その妻《つま》つまり祖母《そぼ》は、元を正せばドイツのカッセルという町の貴族《きぞく》の血筋《ちすじ》だと母親に聞かされていたとか。カッセルといえばグリム兄弟が長らく住んだ町です。のちにアンデルセンがわざわざカッセルに出向いた理由はグリム兄弟に会うためでしたが、ひとつには曽祖母《そうそぼ》の話を確《たし》かめたいという気持ちがあったからかもしれません。

いずれにせよ、カッセルでグリム兄弟との友情《ゆうじょう》が始まり、そこからはるか日本の森鷗外《おうがい》へとつながっていきます。くわしくは二巻《かん》でお話ししましょう。

二〇二四年一月

掲載作品原題

エンドウ豆の上に寝たお姫様　PRINSESSEN PAA ÆRTEN (8)

眠りの精のオーレさん　OLE LUKÖJE (57)

小さいクラウスと大きいクラウス　LILLE CLAUS OG STORE CLAUS (7)

火打ち箱　FYRTØJET (6)

親指っ子ちゃん　TOMMELISE (10)

しっかり立っている錫の兵隊　DEN STANDHAFTIGE TINSOLDAT (20)

雪の女王　SNEDRONNINGEN (68)

豚飼い王子　SVINEDRENGEN (58)

羊飼いの娘と煙突小僧くん　HYRDINDEN OG SKORSTEENSFEIEREN (74)

マッチ売りの少女　DEN LILLE PIGE MED SVOVLSTIKKERNE (79)

旅の道連れ　REISEKAMMERATEN (12)

雪だるま　SNEEMANDEN (151)

最後の真珠　DEN SIDSTE PERLE (114)

★原題とその後に示した作品番号はH.C. アンデルセンセンター
（H.C. Andersen Centret／デンマーク）を参照した。
出典：https://www.sdu.dk/da/forskning/hca

著者

ハンス・クリスチャン・アンデルセン（1805-1875）

1805年、デンマークのオーゼンセに、貧しい靴職人の子として生まれる。俳優を志しコペンハーゲンに出たが、やがて文学を目指す。1835年、イタリア旅行の体験をつづった小説『即興詩人』で広く名を知られ、同年「人魚姫」などを含む『童話集』を発表。以降、多くの童話集を発表し、近代童話の確立者となった。

編訳者

吉澤康子
（よしざわ・やすこ）

英米文学翻訳者。津田塾大学学芸学部国際関係学科卒業。「夜ふけに読みたいおとぎ話」シリーズ（共編訳、続刊中。平凡社）、E.ウェイン『コードネーム・ヴェリティ』『ローズ・アンダーファイア』、S.リンデル『危険な友情』（以上、創元推理文庫）、L.プレスコット『あの本は読まれているか』（東京創元社）など著訳書多数。

和爾桃子
（わに・ももこ）

翻訳者（主に英米語）。慶應義塾大学文学部中退。サキ四部作『クローヴィス物語』『けだものと超けだもの』『平和の玩具』『四角い卵』、デ・ラ・メア『アーモンドの木』『トランペット』（以上、白水社）、「夜ふけに読みたいおとぎ話」シリーズ（共編訳、続刊中。平凡社）など著訳書多数。

【お問い合わせ】
本書の内容に関するお問い合わせは
弊社お問い合わせフォームをご利用ください。
https://www.heibonsha.co.jp/contact/

夜ふけに読みたい
雪夜のアンデルセン童話

2024年1月24日　初版第1刷発行

著　者　ハンス・クリスチャン・アンデルセン
編訳者　吉澤康子、和爾桃子
挿　絵　アーサー・ラッカム
発行者　下中順平
発行所　株式会社平凡社
〒101-0051　東京都千代田区神田神保町3-29
電話　03-3230-6573（営業）

印　刷　株式会社東京印書館
製　本　大口製本印刷株式会社
デザイン　松田行正、杉本聖士
イラスト　足立真人

ISBN978-4-582-83945-6

落丁・乱丁本のお取り替えは小社読者サービス係までお送りください（送料小社負担）。
平凡社ホームページ　https://www.heibonsha.co.jp/